초등 수학 전문가가 만든 연산 교재

원리셈

• 두 자리 수 뺄셈 •

교과 과정 완벽 대비
수학 전문가가 만든 연산 교재
다양한 형태의 문제로 재미있게 연습하는 원리셈

지은이의 말

수학은 원리로부터

수학은 구체물의 관계를 숫자와 기호의 약속으로 나타내는 추상적인 학문입니다. 이 점이 아이들이 수학을 어려워하는 가장 큰 이유입니다. 이러한 수학은 제대로 된 이해를 동반할 때 비로소 힘을 발휘할 수 있습니다. 수학은 어느 단계에서나 원리가 가장 중요합니다.

수학 교육의 변화

답을 내는 방법만 알아도 되는 수학 교육의 시대는 지나고 있습니다. 연산도 한 가지 방법만 반복 연습하기 보다 다양한 풀이 방법이 중요합니다. 교과서는 왜 그렇게 해야 하는지 가르쳐 주고 다양한 방법을 생각하도록 하지만, 학생들은 단순하게 반복되는 연습에 원리는 잊어버리고 기계적으로 답을 내다보니 응용된 내용의 이해가 부족합니다.

연산 학습은 꾸준히

유초등 학습 단계에 따라 4권~6권의 구성으로 매일 10분씩 꾸준히 공부할 수 있습니다. 원리와 다양한 방법의 학습은 그림과 함께 재미있게, 연습은 다양하게 진행하되 마무리는 집중하여 진행하도록 했습니다. 부담 없는 하루 학습량으로 꾸준히 공부하다 보면 어느새 연산 실력이 부쩍 늘어난 것을 알 수 있습니다.

개정판 원리셈은

동영상 강의 확대/초등 고학년 원리 학습 과정 강화 등으로 교과 과정을 완벽하게 대비할 수 있도록 원리와 개념, 계산 방법을 학습합니다. 단계별 원리 학습은 물론이고 연습도 강화했습니다.

학부모님들의 연산 학습에 대한 고민이 원리셈으로 해결되었으면 하는 바람입니다.

지은이 천종현

원리셈의 특징

원리셈의 학습 구성

한 권의 책은 매일 10분 / 매주 5일 / 6주 학습

원리셈의 시나브로 강해지는 학습 알고리즘

초등 원리셈은

시작은 원리의 이해로부터, 마무리는 충분한 연습과 성취도 확인까지

체계적인 학습 구성

쉽게 이해하고 스스로 공부!
실수가 많은 부분은 별도로 확인하고 연습!
주제에 따라 실전을 위한 확장적 사고가 필요한 내용까지!
원리로 시작되는 단계별 학습으로 곱셈구구마저 저절로 외워진다고 느끼도록!

원리셈 전체 단계

키즈 원리셈

5·6세	
1권	5까지의 수
2권	10까지의 수
3권	10까지의 수 세어 쓰기
4권	모아 세기
5권	빼어 세기
6권	크기 비교와 여러 가지 세기

6·7세	
1권	10까지의 더하기 빼기 1
2권	10까지의 더하기 빼기 2
3권	10까지의 더하기 빼기 3
4권	20까지의 더하기 빼기 1
5권	20까지의 더하기 빼기 2
6권	20까지의 더하기 빼기 3

7·8세	
1권	7까지의 모으기와 가르기
2권	9까지의 모으기와 가르기
3권	덧셈과 뺄셈
4권	10 가르기와 모으기
5권	10 만들어 더하기
6권	10 만들어 빼기

초등 원리셈

1학년	
1권	받아올림/내림 없는 두 자리 수 덧셈, 뺄셈
2권	덧셈구구
3권	뺄셈구구
4권	□ 구하기
5권	세 수의 덧셈과 뺄셈
6권	(두 자리 수)±(한 자리 수)

2학년	
1권	두 자리 수 덧셈
2권	두 자리 수 뺄셈
3권	세 수의 덧셈과 뺄셈
4권	곱셈
5권	곱셈구구
6권	나눗셈

3학년	
1권	세 자리 수의 덧셈과 뺄셈
2권	(두/세 자리 수)×(한 자리 수)
3권	(두/세 자리 수)×(두 자리 수)
4권	(두/세 자리 수)÷(한 자리 수)
5권	곱셈과 나눗셈의 관계
6권	분수

4학년	
1권	큰 수의 곱셈
2권	큰 수의 나눗셈
3권	분모가 같은 분수의 덧셈과 뺄셈
4권	소수의 덧셈과 뺄셈

5학년	
1권	혼합 계산
2권	약수와 배수
3권	분모가 다른 분수의 덧셈과 뺄셈
4권	분수와 소수의 곱셈

6학년	
1권	분수의 나눗셈
2권	소수의 나눗셈
3권	비와 비율
4권	비례식과 비례배분

초등 원리셈의 단계별 학습 목표

원리와 연습을 모두 잡는 원리셈!!

학년별 학습 목표와 다른 책에서는 만나기 힘든 특별한 내용을 확인해 보세요.

1학년 원리셈

모든 연산 과정 중 실수가 가장 많은 덧셈, 뺄셈의 집중 연습
여러 가지 계산 방법 알기
덧셈, 뺄셈의 관계를 이용한 '□ 구하기'의 이해

2학년 원리셈

두 자리 덧셈, 뺄셈의 여러 가지 계산 방법의 숙지와 이해
곱셈 개념을 폭넓게 이해하고, 곱셈구구를 힘들지 않게 외울 수 있는 구성
나눗셈은 3학년 교과의 내용이지만 곱셈구구를 외우는 것을 도우면서 곱셈구구의 범위에서 개념 위주 학습

3학년 원리셈

기본 연산은 정확한 이해와 충분한 연습
곱셈, 나눗셈의 관계를 이용한 '□ 구하기'의 이해
분수는 학생들이 어려워 하는 부분을 중점적으로 이해하고, 연습하도록 구성

4학년 원리셈

작은 수의 곱셈, 나눗셈 방법을 확장하여 이해하는 큰 수의 곱셈, 나눗셈
교과서에는 나오지 않는 실전적 연산을 포함
많이 틀리는 내용은 별도 집중학습

5학년 원리셈

연산은 개념과 유형에 따라 단계적으로 학습 후 충분한 연습
약수와 배수는 기본기를 단단하게 할 수 있는 체계적인 구성

6학년 원리셈

분수와 소수의 나눗셈은 원리를 단순화하여 이해
비의 개념을 확장하여 문장제 문제 등에서 만나는 비례 관계의 이해와 적용
비와 비례식은 중등 수학을 대비하는 의미도 포함. 강추 교재!!

2학년 구성과 특징

1권~3권에서 두 자리 수 덧셈과 뺄셈, 4권~6권에서는 곱셈과 나눗셈의 개념을 공부합니다. 덧셈과 뺄셈은 원리를 이용한 여러 가지 가로셈의 계산과 속도를 위한 세로셈의 계산을 다양한 형태로 적절히 배분하였습니다. 나눗셈은 3학년 내용이지만 6권에서 나눗셈의 개념을 활용하여 곱셈구구의 연습이 되도록 구성했습니다.

원리

수 모형, 동전 등을 이용하여 원리를 직관적으로 이해하고 쉽게 공부할 수 있도록 하였습니다.

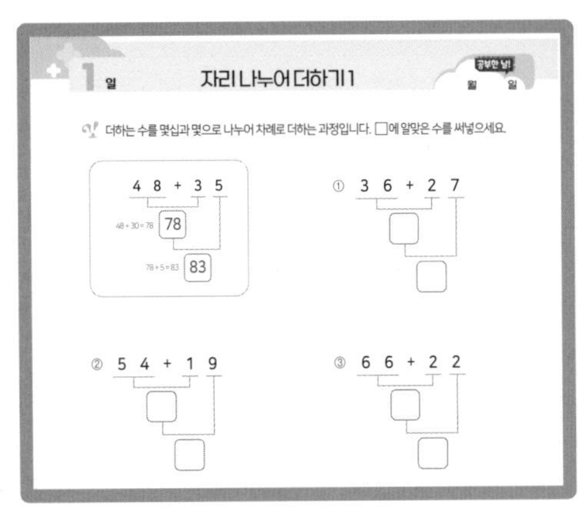
1일 자리 나누어 더하기1
공부한 날! 월 일
더하는 수를 몇십과 몇으로 나누어 차례로 더하는 과정입니다. □에 알맞은 수를 써넣으세요.
48 + 35
48+30=78 78
78+5=83 83
① 36 + 27
② 54 + 19
③ 66 + 22

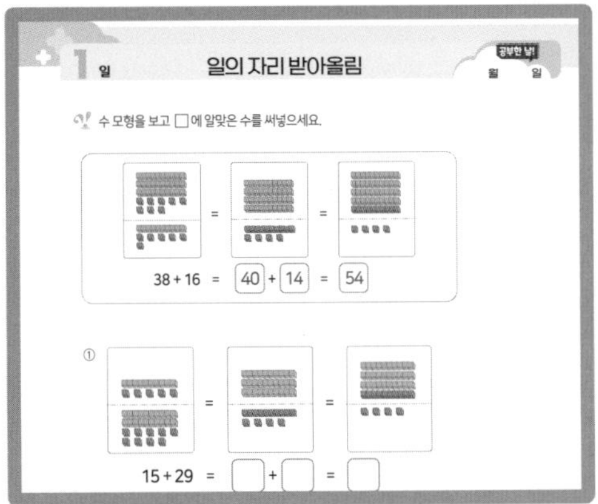
1일 일의 자리 받아올림
공부한 날! 월 일
수 모형을 보고 □에 알맞은 수를 써넣으세요.
38 + 16 = 40 + 14 = 54
①
15 + 29 = □ + □ = □

다양한 계산 방법

다양한 계산 방법을 공부함으로써 수를 다루는 감각을 키우고, 상황에 따라 더 정확하고 빠른 계산을 할 수 있도록 하였습니다.

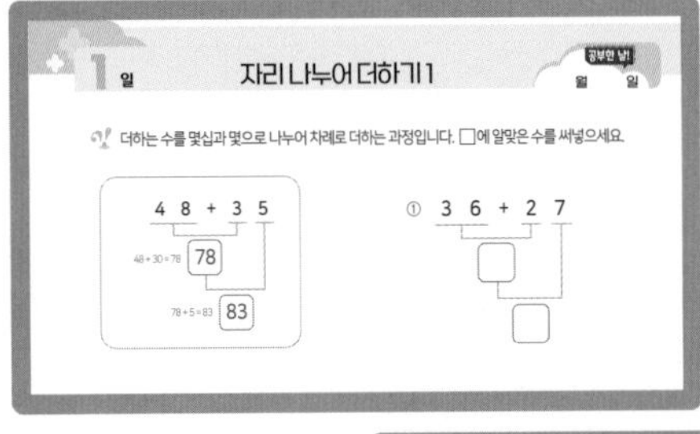
1일 자리 나누어 더하기1
공부한 날! 월 일
더하는 수를 몇십과 몇으로 나누어 차례로 더하는 과정입니다. □에 알맞은 수를 써넣으세요.
48 + 35
48+30=78 78
78+5=83 83
① 36 + 27

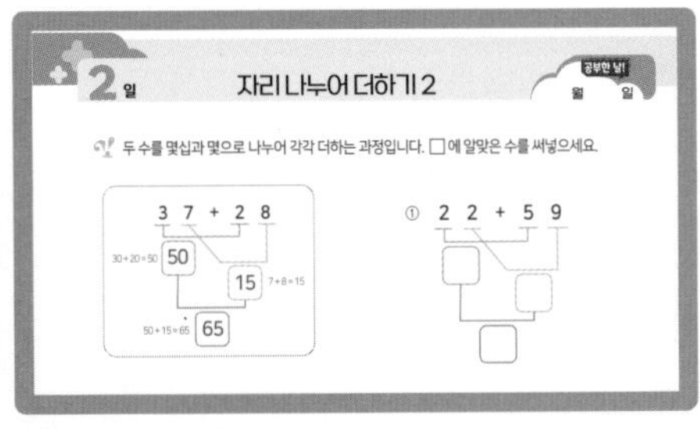
2일 자리 나누어 더하기2
공부한 날! 월 일
두 수를 몇십과 몇으로 나누어 각각 더하는 과정입니다. □에 알맞은 수를 써넣으세요.
37 + 28
30+20=50 50
15 7+8=15
50+15=65 65
① 22 + 59

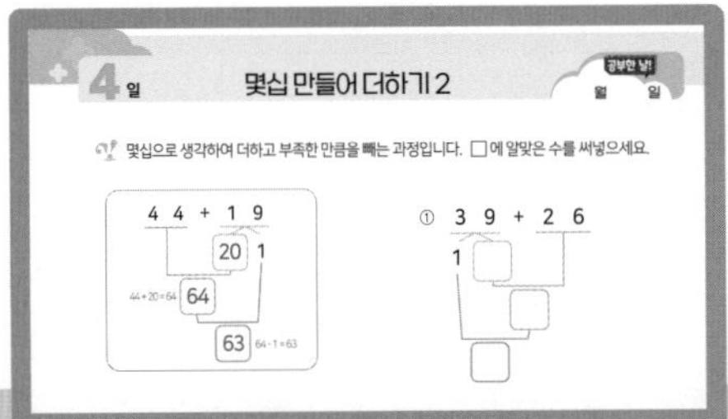
4일 몇십 만들어 더하기2
공부한 날! 월 일
몇십으로 생각하여 더하고 부족한 만큼을 빼는 과정입니다. □에 알맞은 수를 써넣으세요.
44 + 19
20 1
44+20=64 64
63 64−1=63
① 39 + 26
1

연습

학습 순서를 원리를 생각하며 연습할 수 있도록 배치하였고, 이해를 도울 수 있는 소재 및 그림과 함께 연습한 후, 숫자와 기호로 된 문제도 꾸준히 반복할 수 있도록 하였습니다

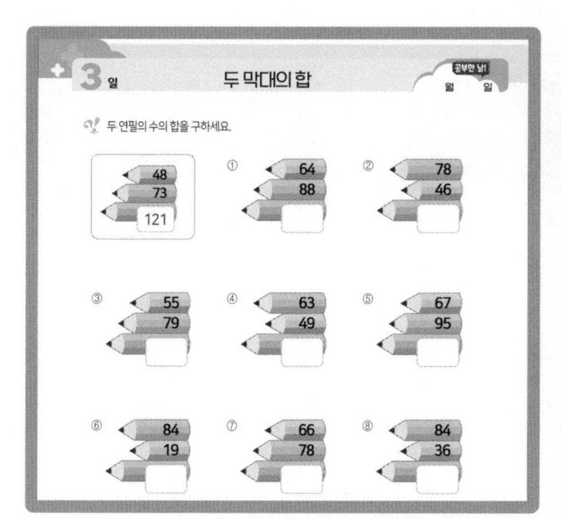

3일 두 막대의 합
공부한 날! 월 일

두 연필의 수의 합을 구하세요.

48 / 73 / 121
① 64 / 88
② 78 / 46
③ 55 / 79
④ 63 / 49
⑤ 67 / 95
⑥ 84 / 19
⑦ 66 / 78
⑧ 84 / 36

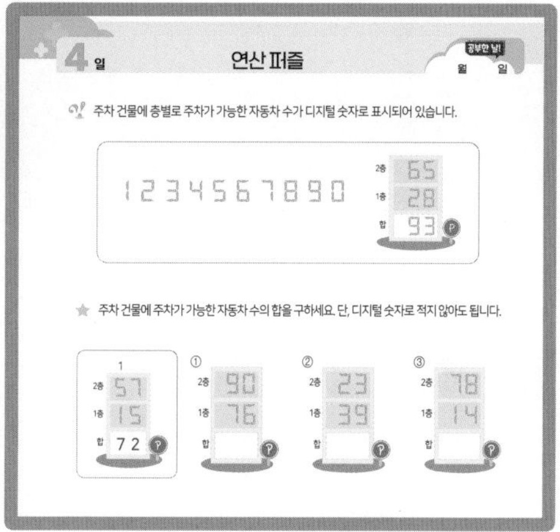

4일 연산 퍼즐
공부한 날! 월 일

주차 건물에 층별로 주차가 가능한 자동차 수가 디지털 숫자로 표시되어 있습니다.

1 2 3 4 5 6 7 8 9 0
2층 65 / 1층 28 / 합 93

주차 건물에 주차가 가능한 자동차 수의 합을 구하세요. 단, 디지털 숫자로 적지 않아도 됩니다.

2층 57 / 1층 15 / 합 72
① 2층 90 / 1층 76 / 합
② 2층 23 / 1층 39 / 합
③ 2층 78 / 1층 14 / 합

도전! 계산왕

주제가 구분되는 두 개의 단원은 정확성과 빠른 계산을 위한 집중 연습으로 주제를 마무리 합니다.

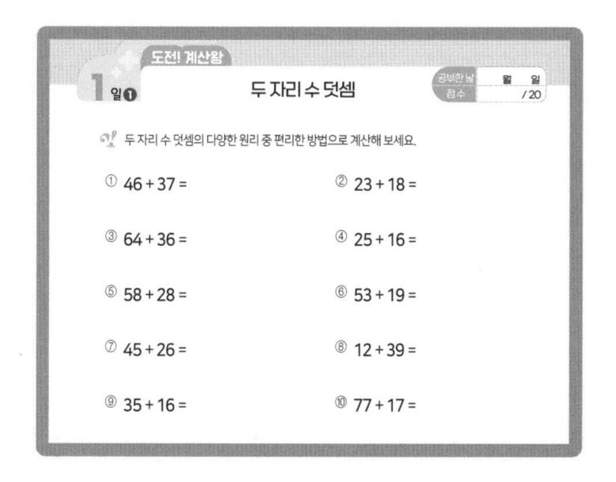

도전! 계산왕
1일❶ 두 자리 수 덧셈
공부한 날 월 일
점수 /20

두 자리 수 덧셈의 다양한 원리 중 편리한 방법으로 계산해 보세요.

① 46 + 37 =
② 23 + 18 =
③ 64 + 36 =
④ 25 + 16 =
⑤ 58 + 28 =
⑥ 53 + 19 =
⑦ 45 + 26 =
⑧ 12 + 39 =
⑨ 35 + 16 =
⑩ 77 + 17 =

성취도 평가

개념의 이해와 연산의 수행에 부족한 부분은 없는지 성취도 평가를 통해 확인합니다.

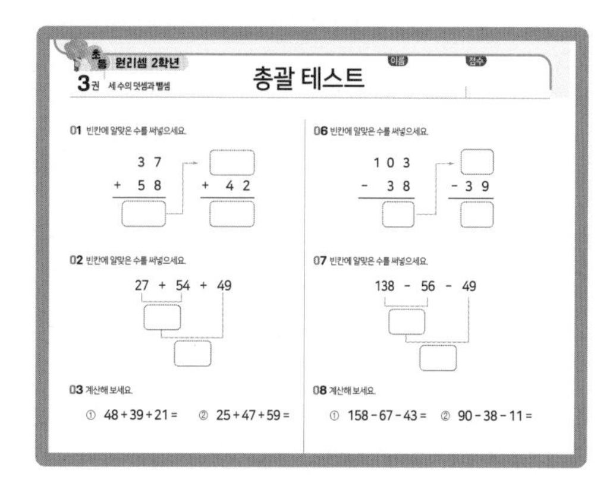

원리셈 2학년
3권 세 수의 덧셈과 뺄셈
총괄 테스트
이름 점수

01 빈칸에 알맞은 수를 써넣으세요.
37 + 58 = □, □ + 42 = □

06 빈칸에 알맞은 수를 써넣으세요.
103 - 38 = □, □ - 39 = □

02 빈칸에 알맞은 수를 써넣으세요.
27 + 54 + 49

07 빈칸에 알맞은 수를 써넣으세요.
138 - 56 - 49

03 계산해 보세요.
① 48 + 39 + 21 = ② 25 + 47 + 59 =

08 계산해 보세요.
① 158 - 67 - 43 = ② 90 - 38 - 11 =

책의 사이사이에 학생의 학습을 돕기 위한 저자의 내용을 잘 이용하세요.

단원의 학습 내용과 방향

한 주차가 시작되는 쪽의 아래에 그 단원의 학습 내용과 어떤 방향으로 공부하는지를 설명해 놓았습니다.
학부모님이나 학생이 단원을 시작하기 전에 가볍게 읽어 보고 공부하도록 해 주세요.

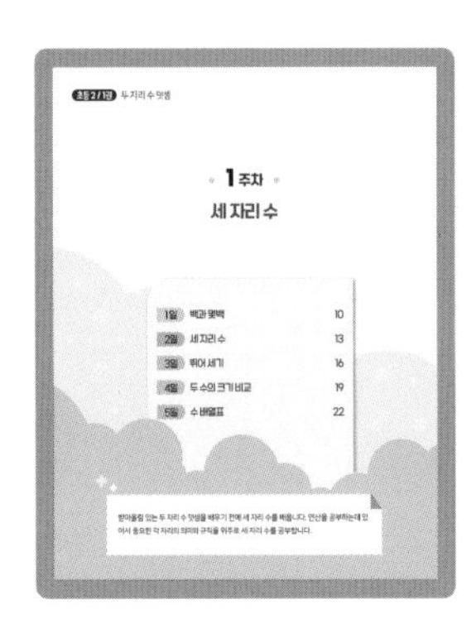

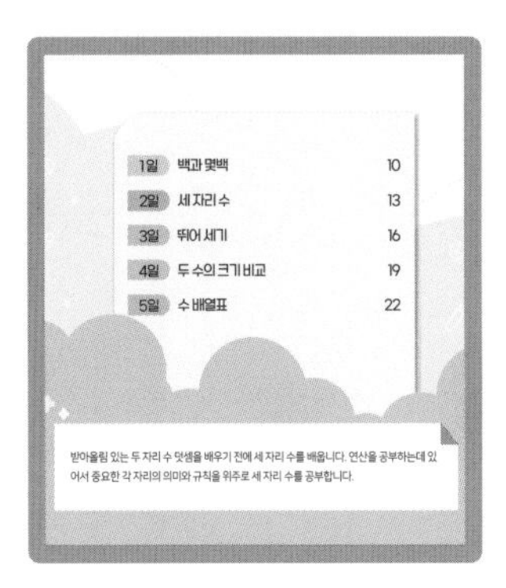

이해를 돕는 저자의 동영상 강의

처음 접하는 원리/개념과 연산 방법의 이해를 돕기 위한 동영상 강의가 있으니 이해가 어려운 내용은 QR코드를 이용하여 편리하게 동영상 강의를 보고, 공부하도록 하세요.

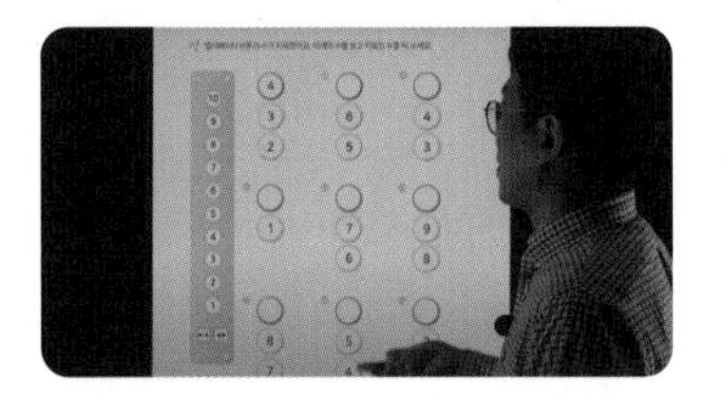

학습 Tip

간략한 도움글은 각 쪽의 아래에 있습니다.

천종현수학연구소 네이버 카페와 홈페이지를 활용하세요.

카페와 홈페이지에는 추가 문제 자료가 있고, 연산 외에서 수학 학습에 어려움을 상담 받을 수 있습니다.

네이버에서 천종현수학연구소를 검색하세요.

1주차

두 자리 수 뺄셈의 원리

각 자리가 나타내는 수를 모으고, 가르는 방식으로 뺄셈의 원리를 공부합니다. 원리를 이용하여 가로셈을 하는 것이 어렵게 느껴질 수는 있지만, 중요한 내용입니다.

자리 나누어 빼기 1

공부한 날! 월 일

몇십을 먼저 빼고, 몇을 빼는 과정입니다. □에 알맞은 수를 써넣으세요.

65 - 38

65 - 30 = 35 → 35

35 - 8 = 27 → 27

① 72 - 24

② 86 - 53

③ 64 - 17

④ 53 - 25

⑤ 93 - 42

□에 알맞은 수를 써넣으세요.

①

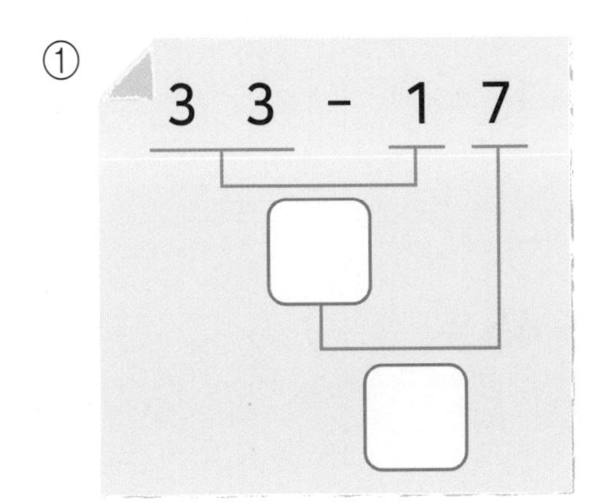

②

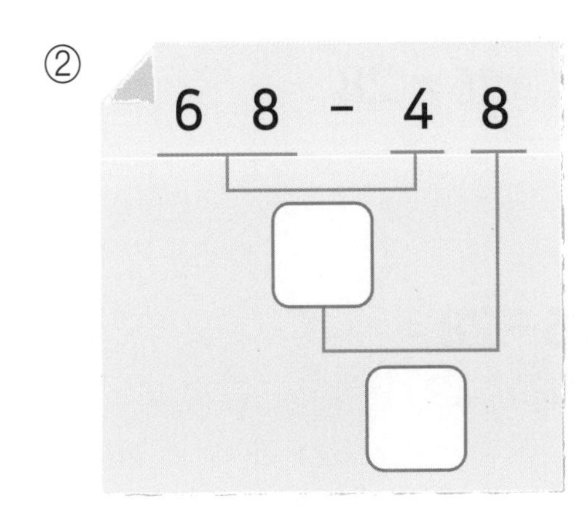

③

7 1 - 3 9

④

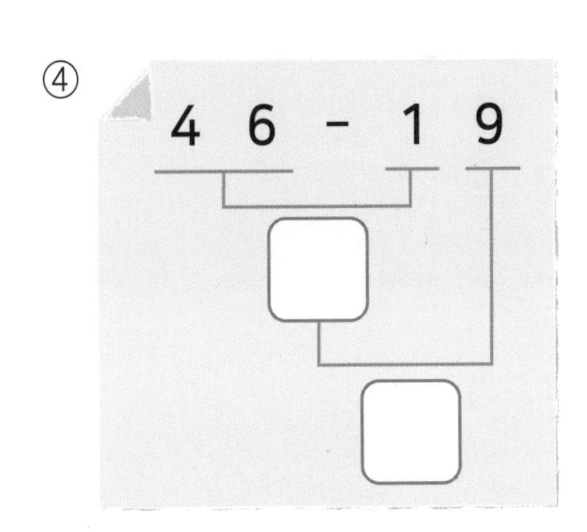

⑤

9 4 - 6 6

⑥

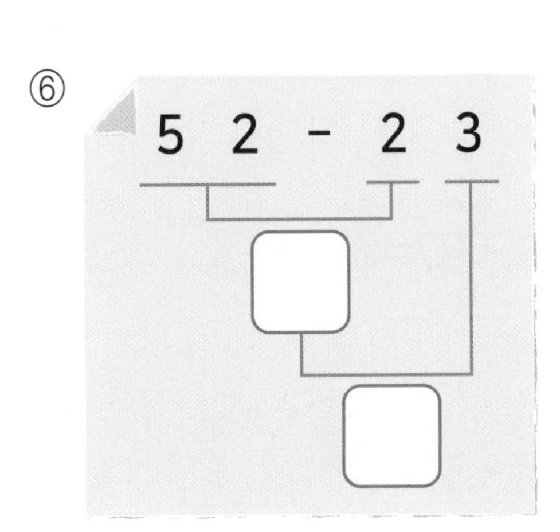

계산해 보세요.

보기
$54 - 26 = 28$ (34)

① $42 - 15 =$

② $76 - 28 =$

③ $61 - 45 =$

④ $86 - 59 =$

⑤ $53 - 18 =$

⑥ $65 - 34 =$

⑦ $92 - 39 =$

⑧ $31 - 13 =$

⑨ $78 - 53 =$

⑩ $67 - 39 =$

⑪ $98 - 78 =$

⑫ $73 - 67 =$

⑬ $45 - 16 =$

⑭ $46 - 37 =$

⑮ $75 - 19 =$

자리 나누어 빼기 2

몇을 먼저 빼고, 몇십을 빼는 과정입니다. □에 알맞은 수를 써넣으세요.

68 - 39

68 - 9 = 59 → 59

59 - 30 = 29 → 29

① 46 - 28

② 54 - 16

③ 73 - 31

④ 84 - 65

⑤ 73 - 43

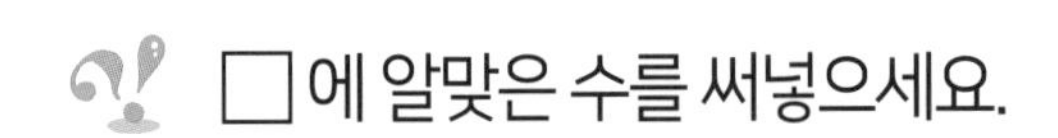

① 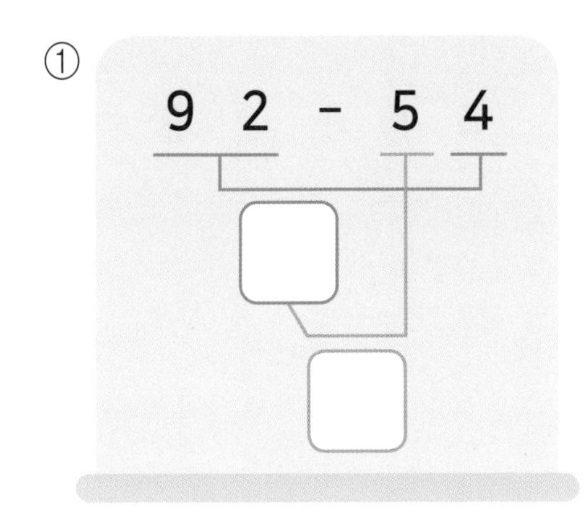

② 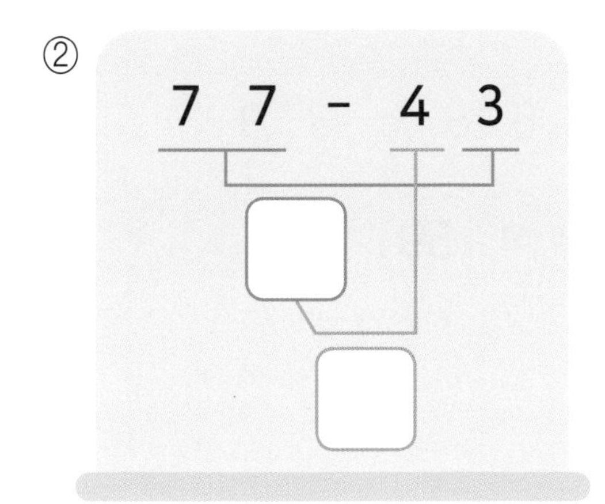

③ 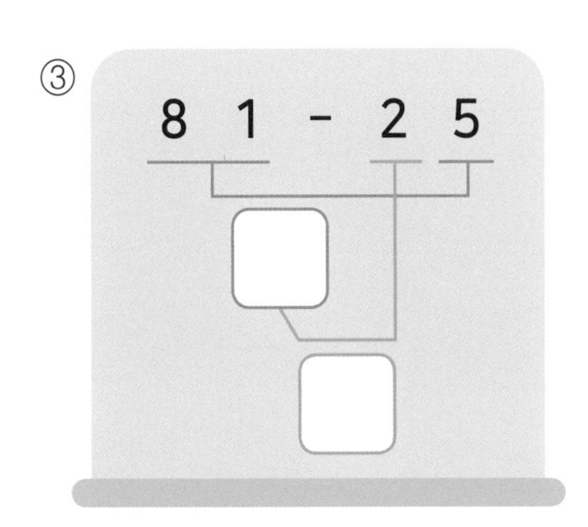

④ 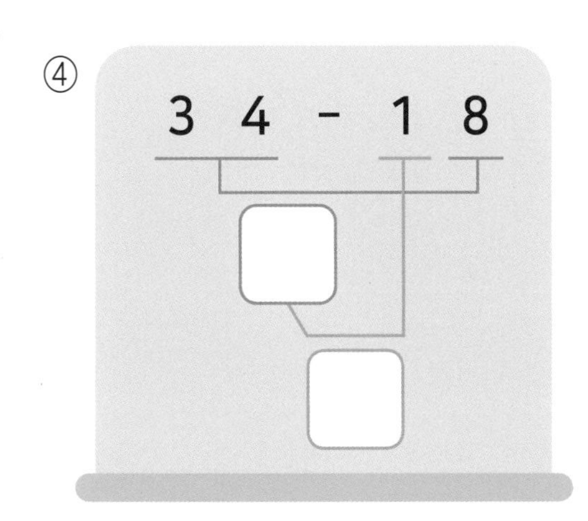

⑤ 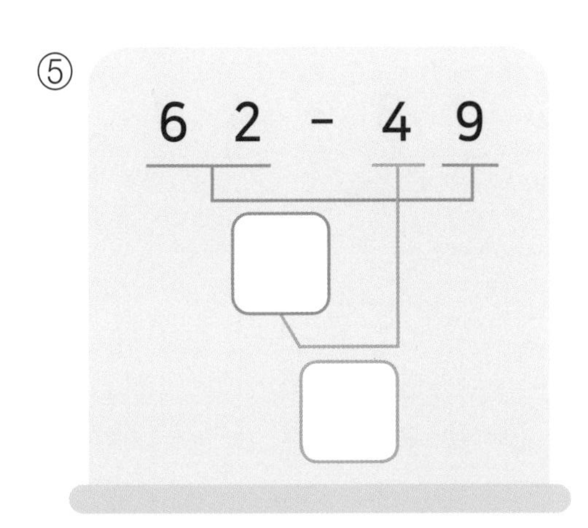

⑥ 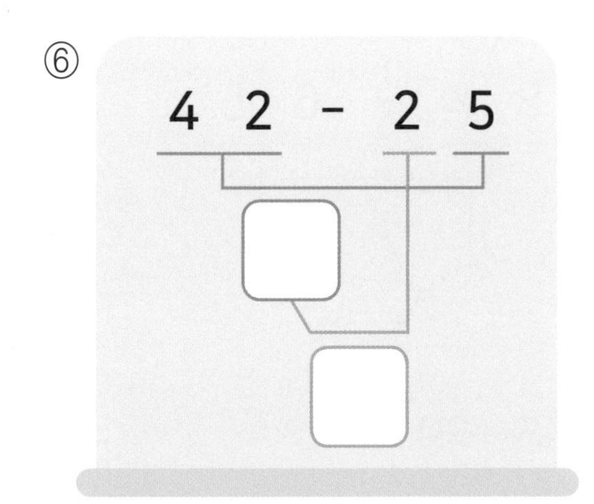

계산해 보세요.

$\underline{44} - \underline{17} = 27$

37

① $64 - 37 =$

② $55 - 35 =$

③ $73 - 28 =$

④ $64 - 29 =$

⑤ $81 - 18 =$

⑥ $64 - 42 =$

⑦ $73 - 57 =$

⑧ $29 - 12 =$

⑨ $56 - 38 =$

⑩ $82 - 27 =$

⑪ $91 - 77 =$

⑫ $47 - 19 =$

⑬ $63 - 25 =$

⑭ $56 - 29 =$

⑮ $65 - 26 =$

몇십 만들어 빼기 1

빼어지는 수를 몇십을 만들어 빼고, 더하는 과정입니다. □에 알맞은 수를 써넣으세요.

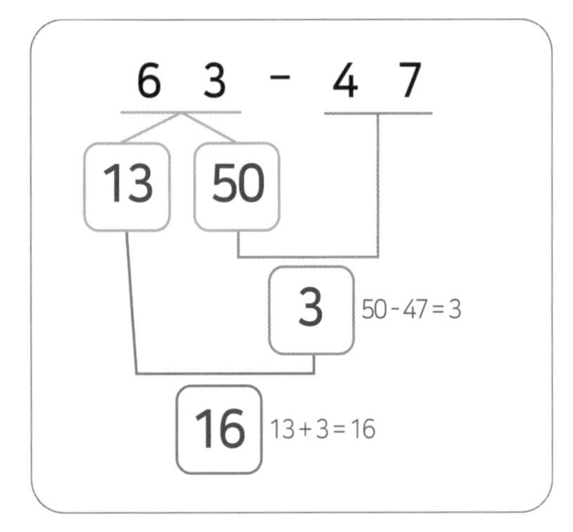

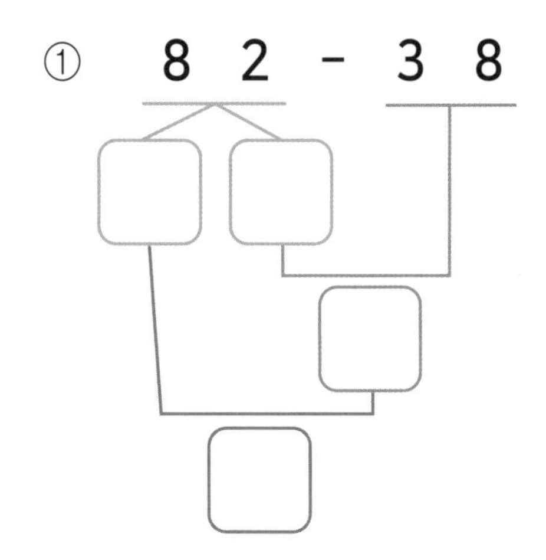

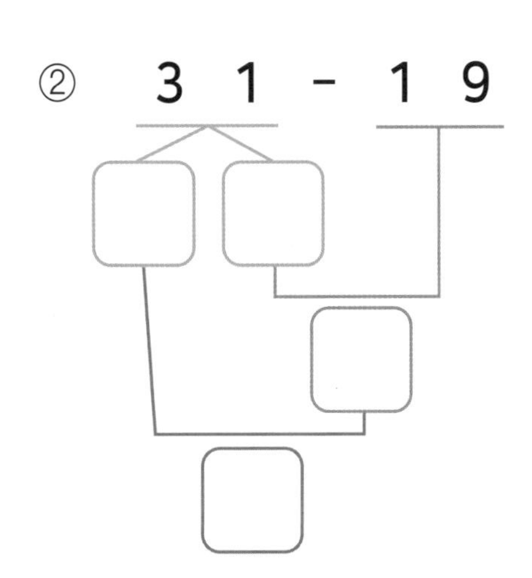

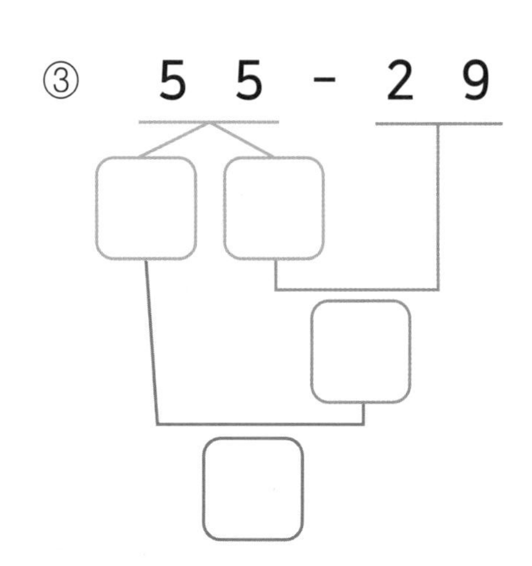

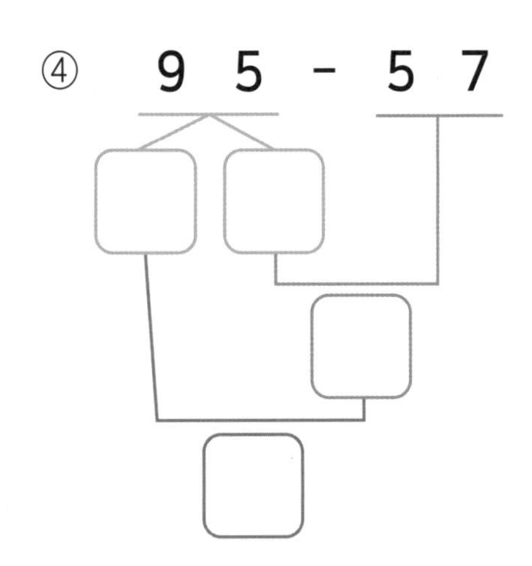

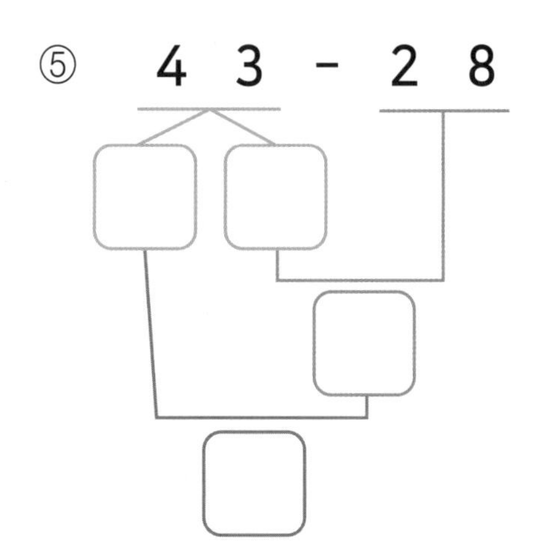

□에 알맞은 수를 써넣으세요.

①
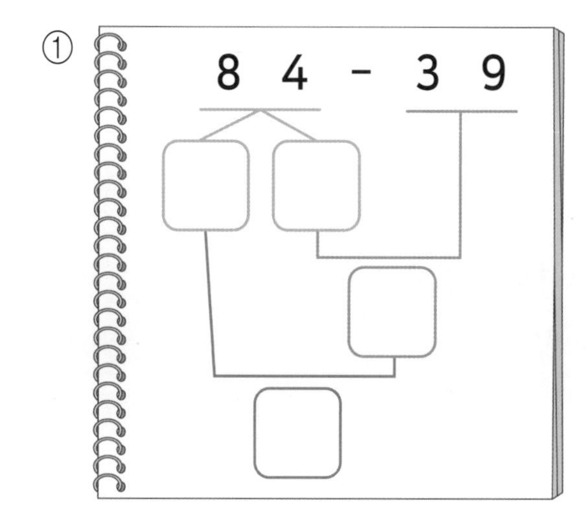

②
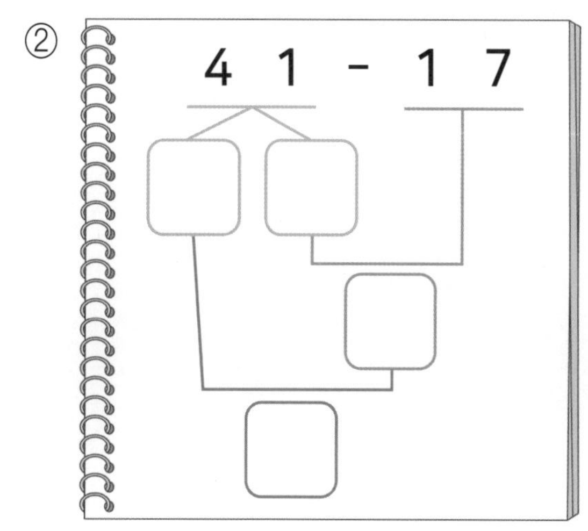

③
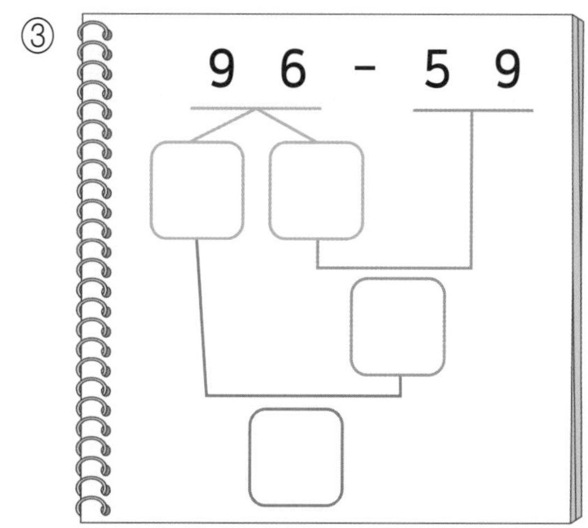

④
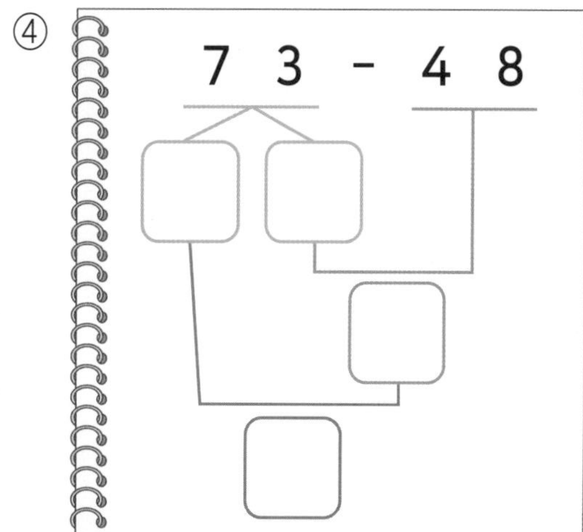

⑤
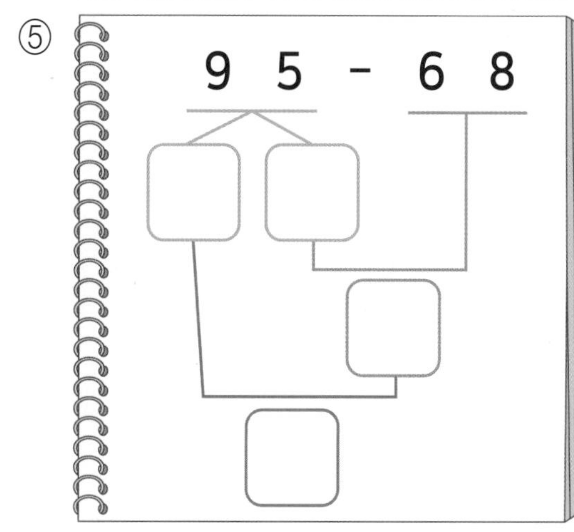

⑥
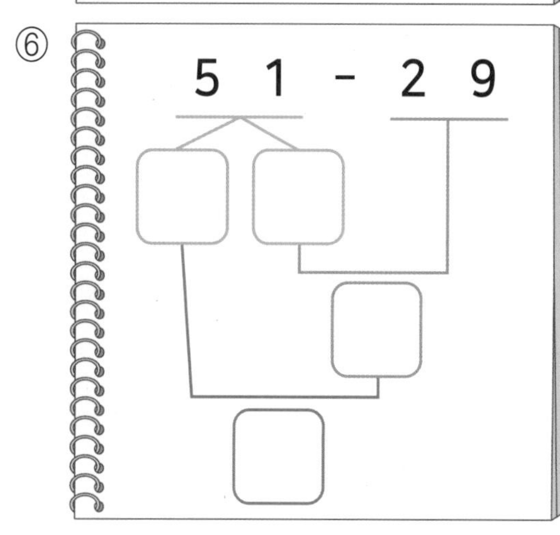

계산해 보세요.

43 − 27 = 16   13 30

① 74 − 18 =

② 83 − 49 =

③ 68 − 39 =

④ 93 − 68 =

⑤ 76 − 19 =

⑥ 97 − 49 =

⑦ 54 − 28 =

⑧ 62 − 17 =

⑨ 81 − 38 =

⑩ 77 − 29 =

⑪ 96 − 68 =

⑫ 84 − 17 =

⑬ 73 − 39 =

⑭ 63 − 38 =

⑮ 46 − 39 =

몇십 만들어 빼기 2

빼는 수를 몇십으로 생각하여 빼고, 더하는 과정입니다. □에 알맞은 수를 써넣으세요.

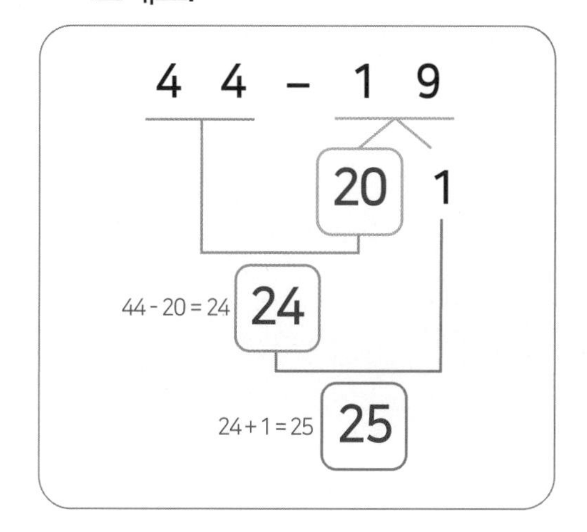

① 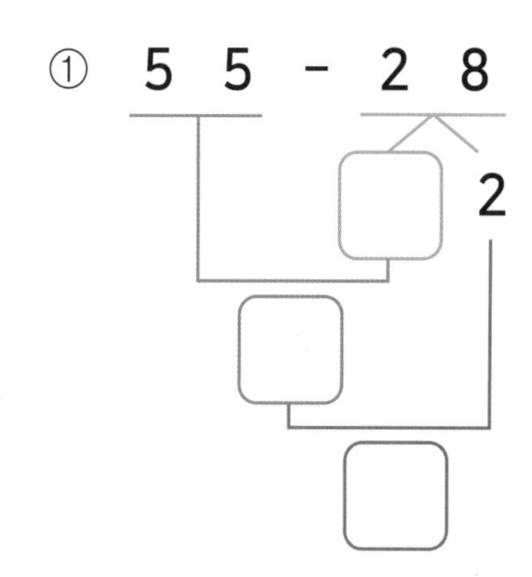

② 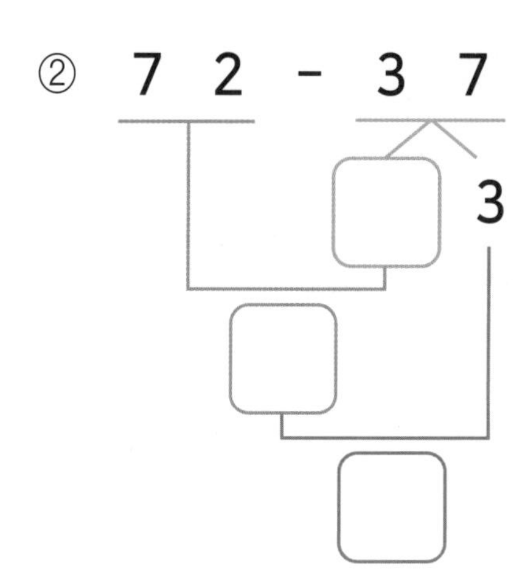

③ 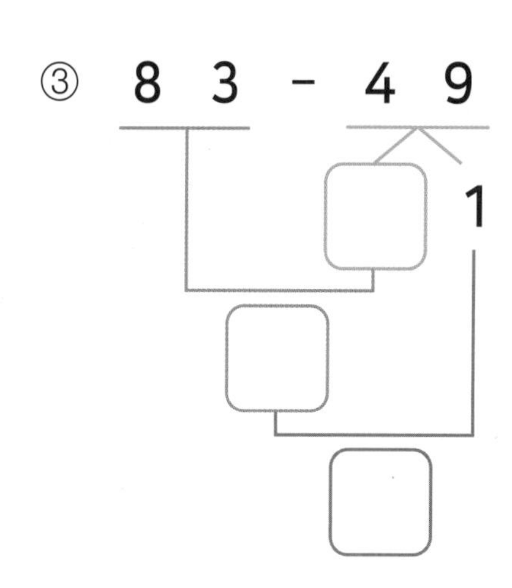

④ 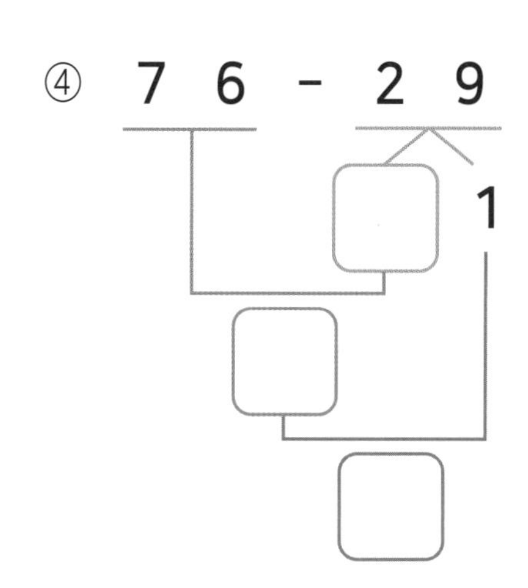

⑤ 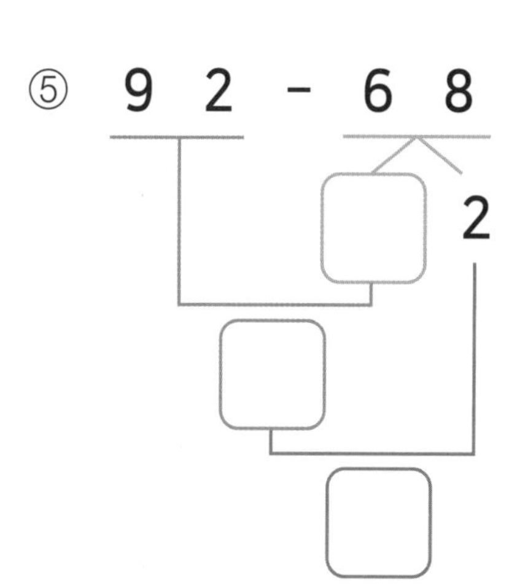

□에 알맞은 수를 써넣으세요.

①

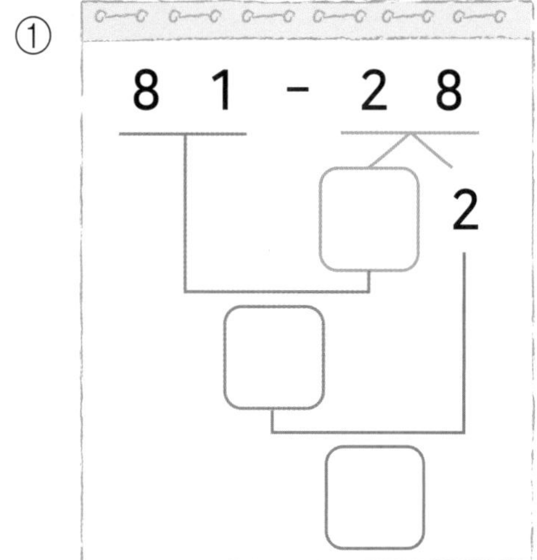

②

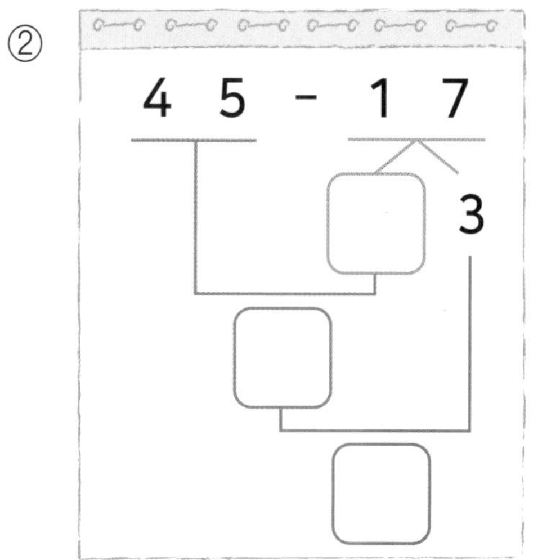

③

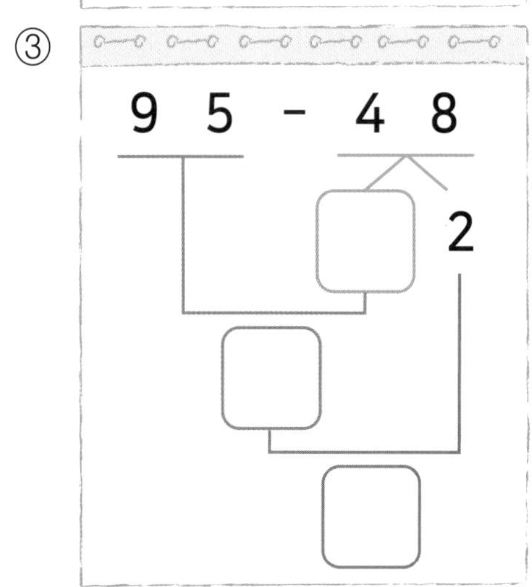

④

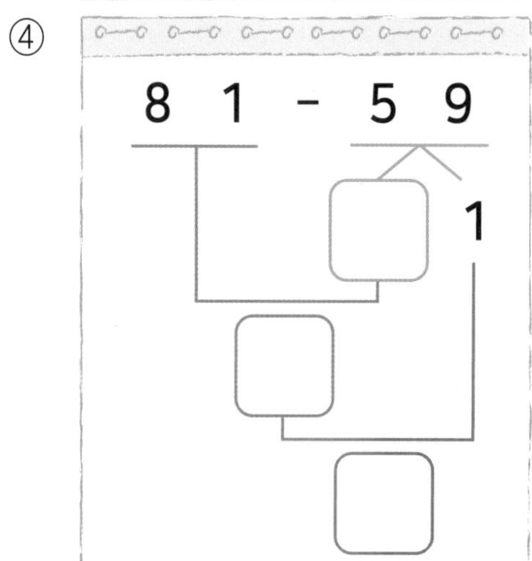

⑤

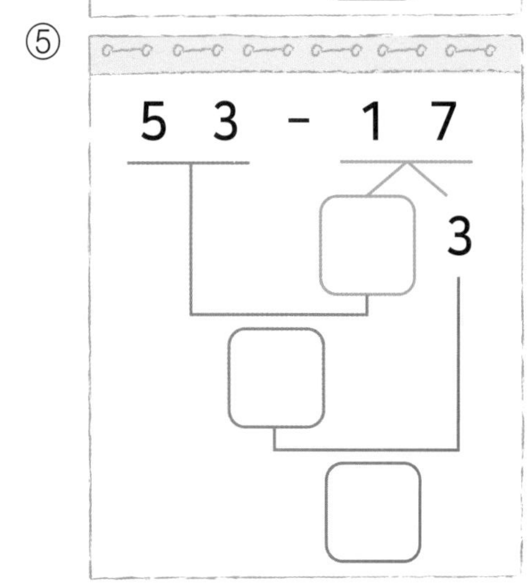

⑥

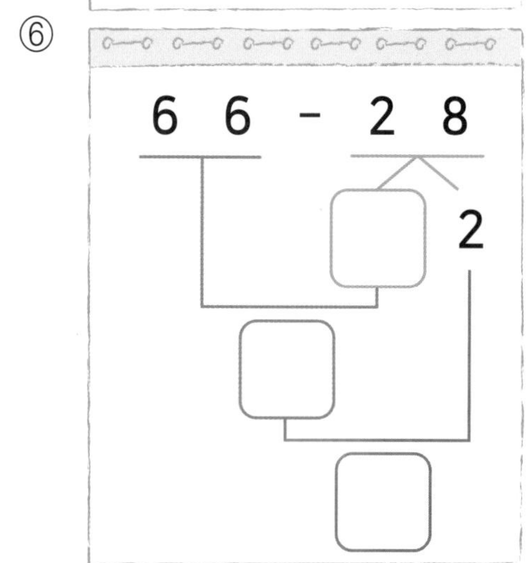

계산해 보세요.

$84 - 49 = 35$ (49 → 50, 1)

① $73 - 29 =$

② $61 - 18 =$

③ $55 - 17 =$

④ $73 - 38 =$

⑤ $94 - 27 =$

⑥ $76 - 58 =$

⑦ $96 - 69 =$

⑧ $73 - 18 =$

⑨ $68 - 39 =$

⑩ $91 - 19 =$

⑪ $86 - 39 =$

⑫ $75 - 47 =$

⑬ $62 - 29 =$

⑭ $64 - 38 =$

⑮ $54 - 27 =$

공부한 날! 월 일

같은 위치의 수를 빼어서 아래의 표를 완성하세요.

64	82	52
74	91	33
72	68	42

−

27	16	39
44	68	14
36	28	15

=

64 - 27 = 37

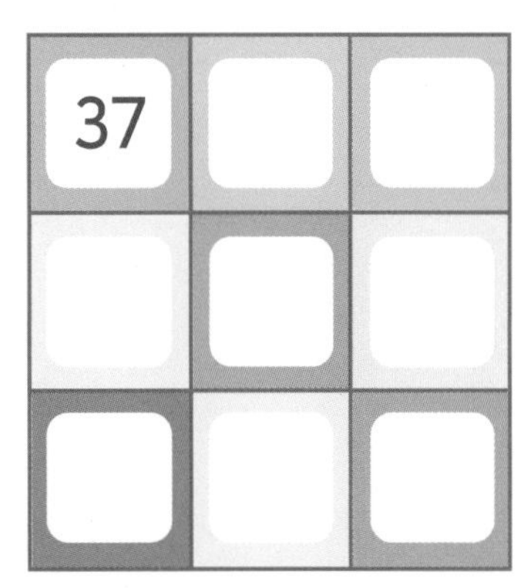

같은 위치의 수를 빼어서 아래의 표를 완성하세요.

53	81	36
45	73	39
42	73	66

－

27	49	19
24	44	19
26	36	29

＝

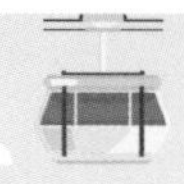

식을 계산하여 집까지 가는 길을 그려 보세요.

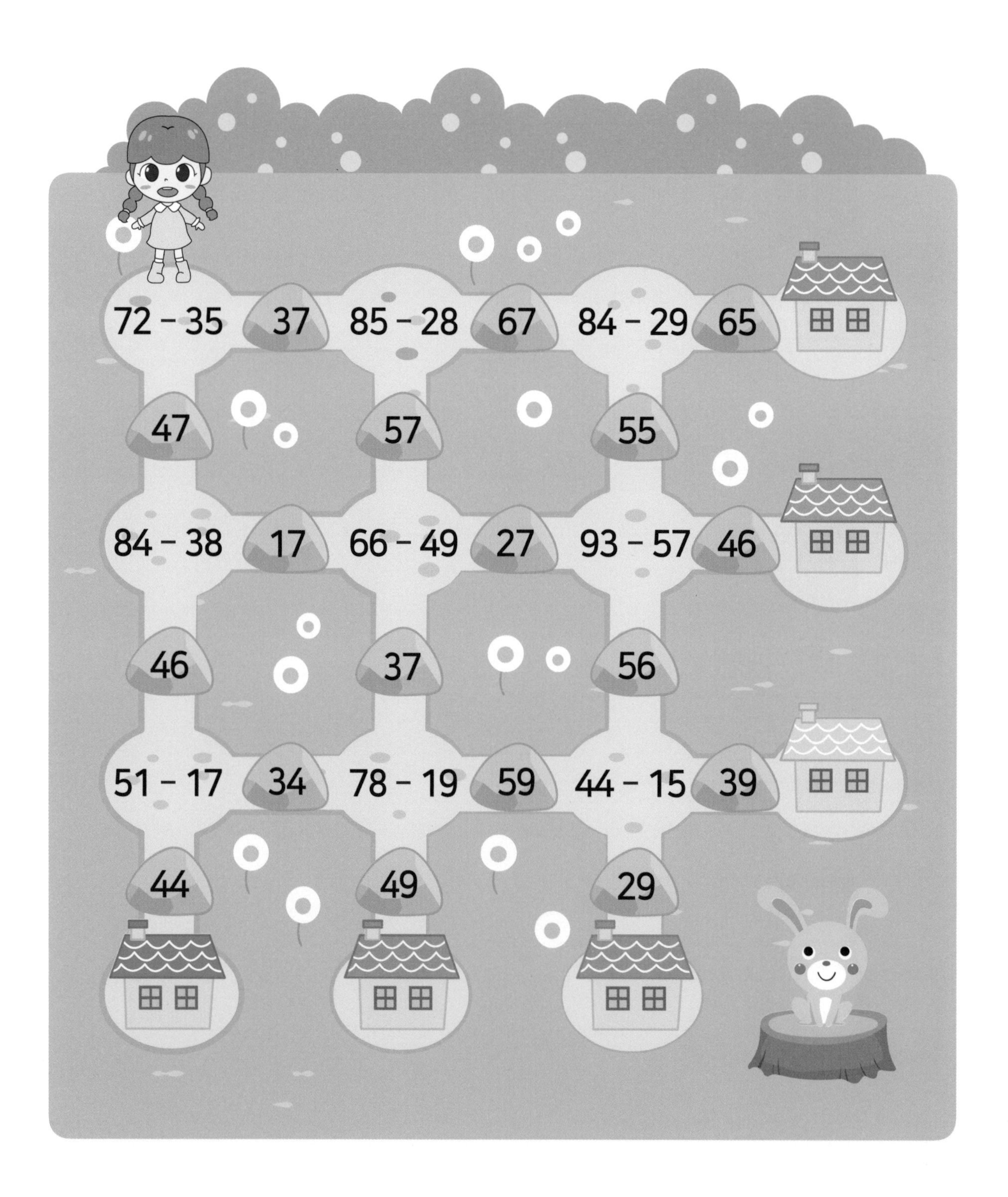

2주차

도전! 계산왕

두 자리 수 뺄셈

공부한 날	월 일
점수	/ 20

두 자리 수 뺄셈의 다양한 원리 중 편리한 방법으로 계산해 보세요.

① $25 - 16 =$ ② $33 - 19 =$

③ $46 - 17 =$ ④ $56 - 28 =$

⑤ $72 - 29 =$ ⑥ $85 - 36 =$

⑦ $61 - 27 =$ ⑧ $32 - 15 =$

⑨ $66 - 48 =$ ⑩ $75 - 37 =$

⑪ $43 - 17 =$ ⑫ $25 - 18 =$

⑬ $55 - 28 =$ ⑭ $76 - 68 =$

⑮ $87 - 48 =$ ⑯ $32 - 18 =$

⑰ $58 - 29 =$ ⑱ $46 - 38 =$

⑲ $41 - 29 =$ ⑳ $74 - 56 =$

두 자리 수 뺄셈

공부한 날	월 일
점수	/20

두 자리 수 뺄셈의 다양한 원리 중 편리한 방법으로 계산해 보세요.

① 62 - 27 =

② 61 - 26 =

③ 43 - 15 =

④ 52 - 13 =

⑤ 84 - 68 =

⑥ 86 - 68 =

⑦ 77 - 59 =

⑧ 54 - 29 =

⑨ 41 - 29 =

⑩ 47 - 38 =

⑪ 35 - 19 =

⑫ 25 - 17 =

⑬ 44 - 35 =

⑭ 34 - 28 =

⑮ 38 - 19 =

⑯ 36 - 27 =

⑰ 64 - 49 =

⑱ 45 - 26 =

⑲ 21 - 17 =

⑳ 52 - 26 =

두 자리 수 뺄셈

공부한 날	월 일
점수	/ 20

두 자리 수 뺄셈의 다양한 원리 중 편리한 방법으로 계산해 보세요.

① 22 - 19 =

② 33 - 28 =

③ 52 - 36 =

④ 45 - 18 =

⑤ 31 - 14 =

⑥ 43 - 29 =

⑦ 52 - 38 =

⑧ 78 - 59 =

⑨ 65 - 47 =

⑩ 84 - 55 =

⑪ 65 - 37 =

⑫ 53 - 36 =

⑬ 82 - 33 =

⑭ 61 - 25 =

⑮ 73 - 37 =

⑯ 32 - 16 =

⑰ 75 - 18 =

⑱ 46 - 17 =

⑲ 96 - 27 =

⑳ 58 - 29 =

두 자리 수 뺄셈

공부한 날	월 일
점수	/20

두 자리 수 뺄셈의 다양한 원리 중 편리한 방법으로 계산해 보세요.

① 45 − 26 =

② 52 − 29 =

③ 88 − 59 =

④ 32 − 13 =

⑤ 63 − 16 =

⑥ 75 − 48 =

⑦ 42 − 19 =

⑧ 64 − 26 =

⑨ 55 − 38 =

⑩ 22 − 17 =

⑪ 24 − 18 =

⑫ 54 − 39 =

⑬ 43 − 25 =

⑭ 73 − 38 =

⑮ 72 − 58 =

⑯ 84 − 68 =

⑰ 74 − 36 =

⑱ 82 − 44 =

⑲ 93 − 79 =

⑳ 62 − 45 =

두 자리 수 뺄셈

공부한 날	월 일
점수	/ 20

두 자리 수 뺄셈의 다양한 원리 중 편리한 방법으로 계산해 보세요.

① 45 - 36 =

② 64 - 18 =

③ 75 - 46 =

④ 57 - 38 =

⑤ 86 - 58 =

⑥ 66 - 39 =

⑦ 56 - 29 =

⑧ 75 - 17 =

⑨ 46 - 27 =

⑩ 61 - 39 =

⑪ 32 - 28 =

⑫ 53 - 35 =

⑬ 62 - 24 =

⑭ 45 - 26 =

⑮ 57 - 38 =

⑯ 32 - 16 =

⑰ 45 - 27 =

⑱ 43 - 25 =

⑲ 31 - 19 =

⑳ 56 - 38 =

두 자리 수 뺄셈

공부한 날	월 일
점수	/ 20

두 자리 수 뺄셈의 다양한 원리 중 편리한 방법으로 계산해 보세요.

① 61 − 33 =

② 62 − 23 =

③ 52 − 24 =

④ 34 − 16 =

⑤ 45 − 18 =

⑥ 42 − 25 =

⑦ 65 − 28 =

⑧ 52 − 39 =

⑨ 74 − 36 =

⑩ 97 − 78 =

⑪ 54 − 28 =

⑫ 62 − 29 =

⑬ 41 − 19 =

⑭ 65 − 46 =

⑮ 54 − 35 =

⑯ 42 − 27 =

⑰ 73 − 46 =

⑱ 85 − 68 =

⑲ 94 − 57 =

⑳ 64 − 39 =

두 자리 수 뺄셈

공부한 날	월 일
점수	/20

두 자리 수 뺄셈의 다양한 원리 중 편리한 방법으로 계산해 보세요.

① $51 - 19 =$

② $44 - 25 =$

③ $32 - 15 =$

④ $65 - 36 =$

⑤ $72 - 54 =$

⑥ $63 - 27 =$

⑦ $35 - 19 =$

⑧ $56 - 37 =$

⑨ $66 - 48 =$

⑩ $45 - 16 =$

⑪ $35 - 16 =$

⑫ $42 - 23 =$

⑬ $55 - 26 =$

⑭ $30 - 16 =$

⑮ $44 - 17 =$

⑯ $52 - 23 =$

⑰ $54 - 26 =$

⑱ $62 - 44 =$

⑲ $91 - 29 =$

⑳ $74 - 36 =$

두 자리 수 뺄셈

공부한 날	월 일
점수	/20

두 자리 수 뺄셈의 다양한 원리 중 편리한 방법으로 계산해 보세요.

① 45 - 26 =

② 47 - 19 =

③ 68 - 49 =

④ 82 - 65 =

⑤ 67 - 39 =

⑥ 76 - 58 =

⑦ 43 - 29 =

⑧ 82 - 65 =

⑨ 63 - 35 =

⑩ 42 - 24 =

⑪ 95 - 56 =

⑫ 43 - 18 =

⑬ 75 - 29 =

⑭ 72 - 68 =

⑮ 55 - 19 =

⑯ 95 - 77 =

⑰ 83 - 47 =

⑱ 46 - 28 =

⑲ 72 - 54 =

⑳ 34 - 15 =

두 자리 수 뺄셈

공부한 날	월 일
점수	/ 20

두 자리 수 뺄셈의 다양한 원리 중 편리한 방법으로 계산해 보세요.

① $54 - 38 =$

② $45 - 18 =$

③ $65 - 37 =$

④ $74 - 55 =$

⑤ $82 - 13 =$

⑥ $25 - 19 =$

⑦ $35 - 26 =$

⑧ $54 - 37 =$

⑨ $86 - 68 =$

⑩ $52 - 33 =$

⑪ $85 - 27 =$

⑫ $58 - 39 =$

⑬ $66 - 37 =$

⑭ $75 - 36 =$

⑮ $87 - 59 =$

⑯ $52 - 33 =$

⑰ $98 - 79 =$

⑱ $67 - 49 =$

⑲ $82 - 24 =$

⑳ $62 - 23 =$

두 자리 수 뺄셈

공부한 날	월 일
점수	/20

두 자리 수 뺄셈의 다양한 원리 중 편리한 방법으로 계산해 보세요.

① 92 − 29 =

② 65 − 36 =

③ 34 − 15 =

④ 32 − 15 =

⑤ 85 − 57 =

⑥ 46 − 29 =

⑦ 63 − 48 =

⑧ 75 − 58 =

⑨ 95 − 66 =

⑩ 88 − 69 =

⑪ 55 − 36 =

⑫ 52 − 28 =

⑬ 63 − 49 =

⑭ 84 − 66 =

⑮ 72 − 54 =

⑯ 55 − 37 =

⑰ 62 − 48 =

⑱ 95 − 79 =

⑲ 92 − 14 =

⑳ 77 − 58 =

MEMO

3주차

받아내림 한 번 있는 뺄셈

수 모형과 동전 모형으로 받아내림이 한 번 있는 두 자리 뺄셈의 원리를 알아보고 연습합니다. 연습은 세로셈 위주로 하도록 하였습니다.

십의 자리 받아내림

수 모형을 보고 □에 알맞은 수를 써넣으세요.

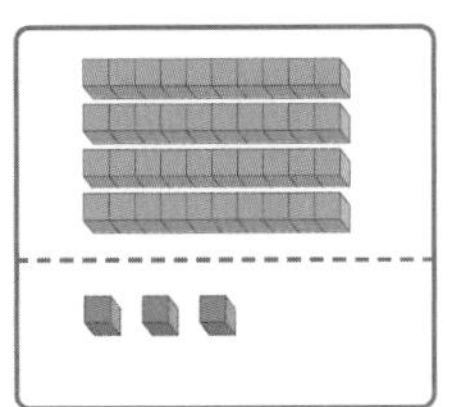
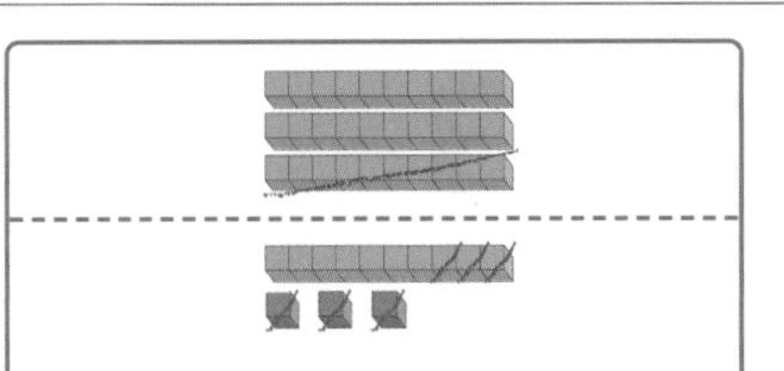
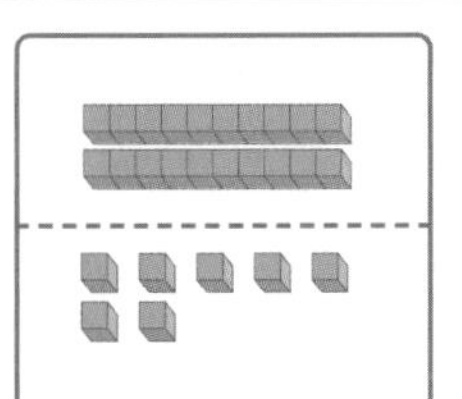

43 − 16 = 30 − 10 + 13 − 6 = 27

①

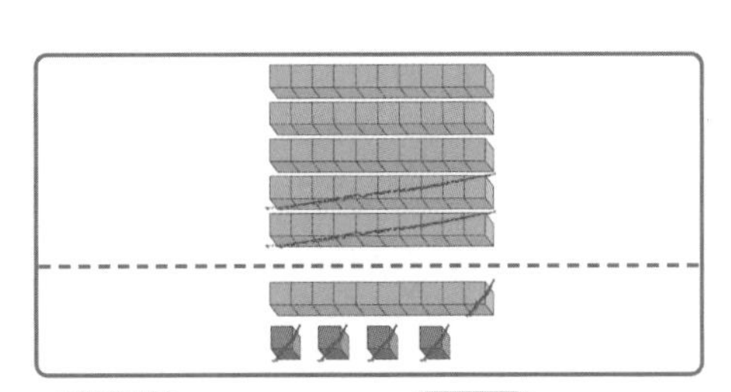
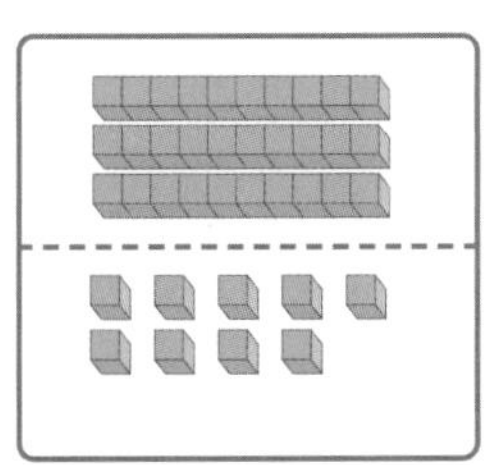

64 − 25 = □ − 20 + □ − 5 = □

②

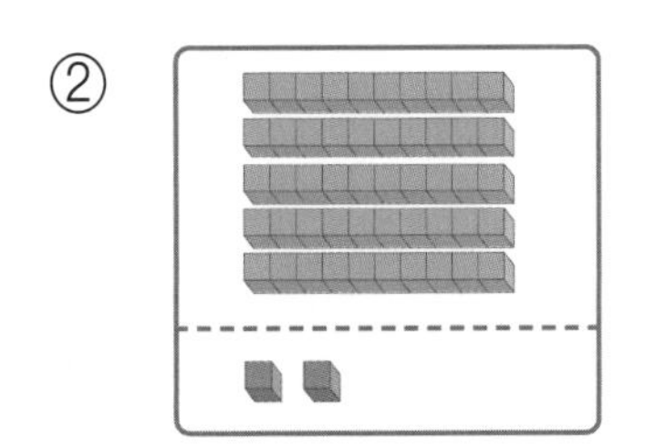
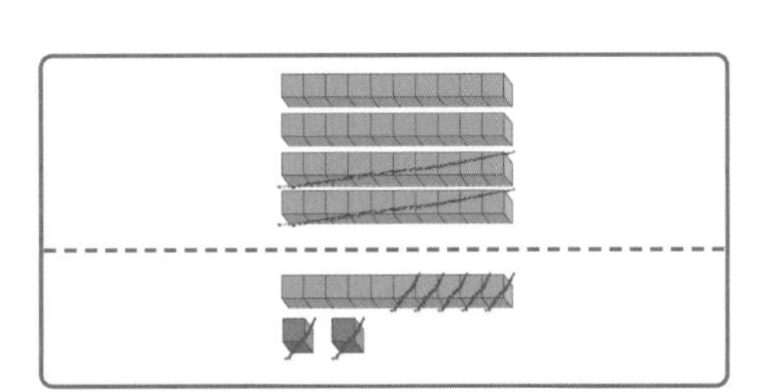
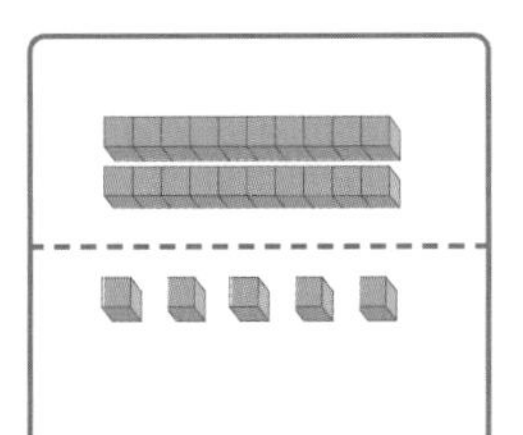

52 − 27 = □ − 20 + □ − 7 = □

③

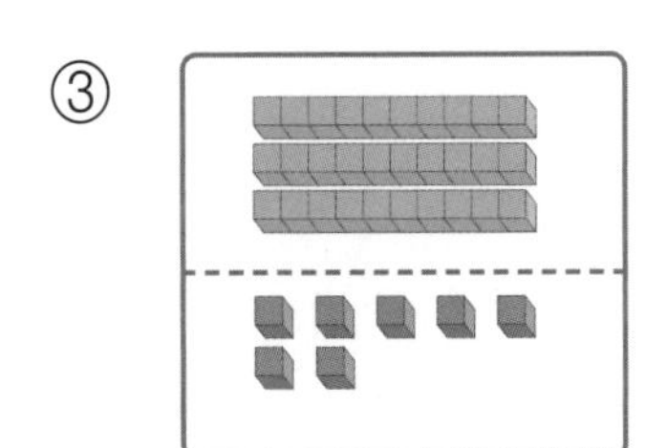
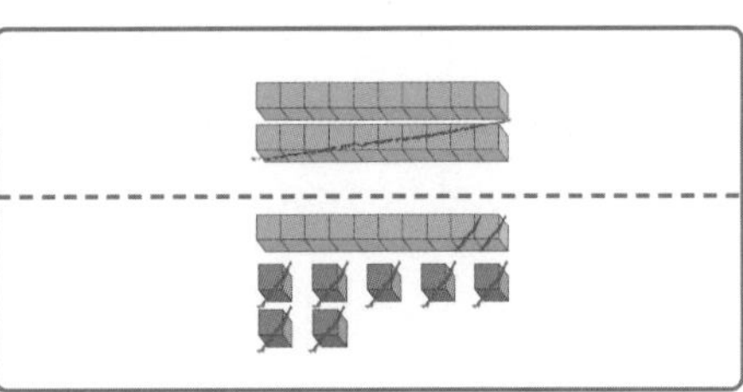
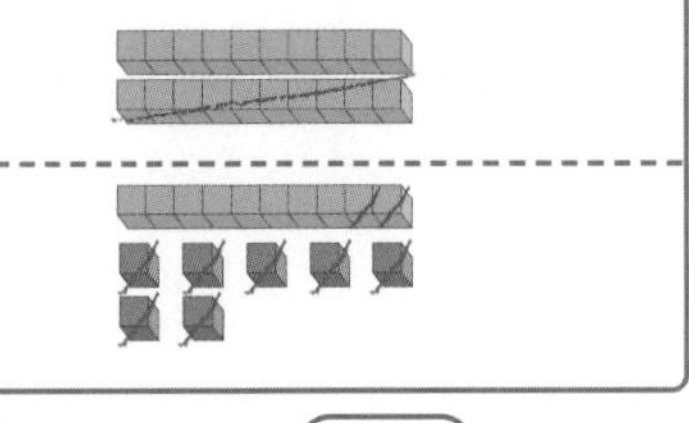
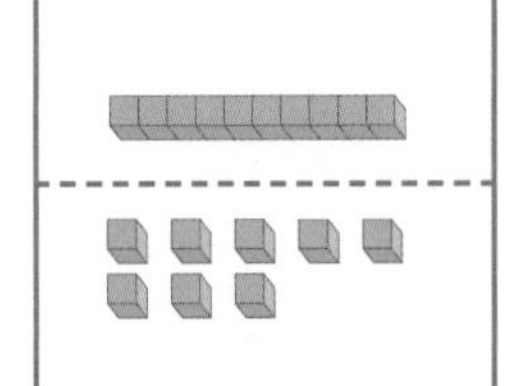

37 − 19 = □ − 10 + □ − 9 = □

몇십과 십몇으로 나누어 같은 자리끼리 빼서 계산해 보세요.

보기: $73 - 38$ → $60 - 30$, $13 - 8$ → 30, 5 → 35

① $52 - 16$ → $40 - 10$, $12 - 6$ → □ □ → □

② $47 - 29$ → $30 - 20$, $17 - 9$ → □ □ → □

③ $83 - 49$ → $70 - 40$, $13 - 9$ → □ □ → □

④ $72 - 53$ → $60 - 50$, $12 - 3$ → □ □ → □

⑤ $65 - 18$ → $50 - 10$, $15 - 8$ → □ □ → □

⑥ $40 - 14$ → $30 - 10$, $10 - 4$ → □ □ → □

⑦ $53 - 27$ → $40 - 20$, $13 - 7$ → □ □ → □

몇십과 십몇으로 나누어 같은 자리끼리 빼서 계산해 보세요.

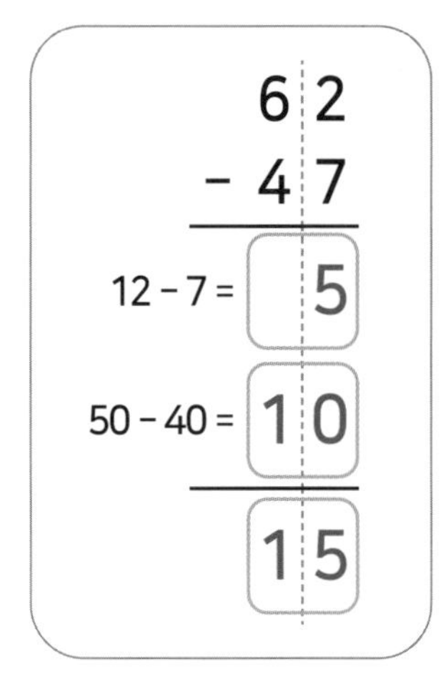

① 82 - 53

12 - 3 =

70 - 50 =

② 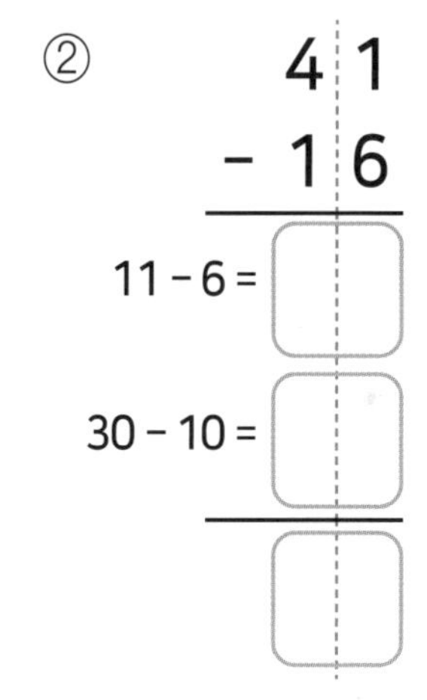

③ 73 - 48

13 - 8 =

60 - 40 =

④ 34 - 15

14 - 5 =

20 - 10 =

⑤ 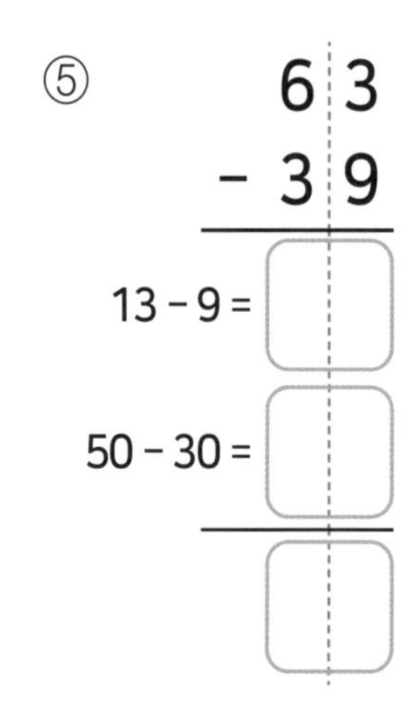

⑥ 58 - 29

18 - 9 =

40 - 20 =

⑦ 93 - 55

13 - 5 =

80 - 50 =

⑧ 72 - 34

12 - 4 =

60 - 30 =

백의 자리 받아내림

동전 모형을 보고 □에 알맞은 수를 써넣으세요.

$125 - 72 = \boxed{120} - 70 + \boxed{5} - 2 = \boxed{53}$

① $146 - 84 = \square - 80 + \square - 4 = \square$

② $158 - 61 = \square - 60 + \square - 1 = \square$

백몇십과 몇으로 나누어 같은 자리끼리 빼서 계산해 보세요.

(예시)

148 − 73	→	140 − 70	8 − 3
75	←	70	5

① 159 − 81 → 150 − 80 | 9 − 1

② 116 − 53 → 110 − 50 | 6 − 3

③ 126 − 95 → 120 − 90 | 6 − 5

④ 179 − 88 → 170 − 80 | 9 − 8

⑤ 107 − 43 → 100 − 40 | 7 − 3

⑥ 154 − 80 → 150 − 80 | 4 − 0

⑦ 137 − 54 → 130 − 50 | 7 − 4

백몇십과 몇으로 나누어 같은 자리끼리 빼서 계산해 보세요.

①
$$\begin{array}{r} 128 \\ -\ \ 47 \\ \hline \end{array}$$
8 - 7 = ☐

120 - 40 = ☐

☐

②
$$\begin{array}{r} 154 \\ -\ \ 62 \\ \hline \end{array}$$
4 - 2 = ☐

150 - 60 = ☐

☐

③
$$\begin{array}{r} 117 \\ -\ \ 35 \\ \hline \end{array}$$
7 - 5 = ☐

110 - 30 = ☐

☐

④
$$\begin{array}{r} 152 \\ -\ \ 71 \\ \hline \end{array}$$
2 - 1 = ☐

150 - 70 = ☐

☐

⑤
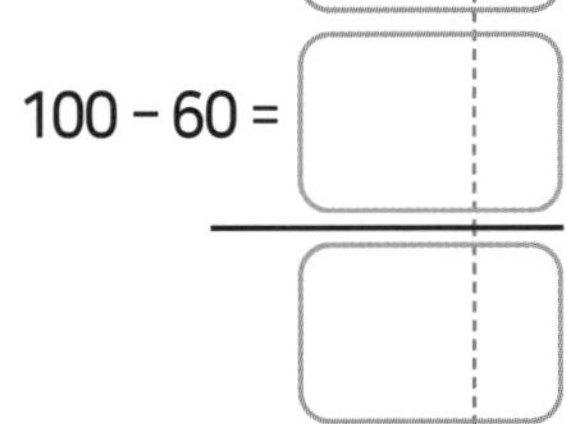
$$\begin{array}{r} 109 \\ -\ \ 63 \\ \hline \end{array}$$
9 - 3 = ☐

100 - 60 = ☐

☐

⑥
$$\begin{array}{r} 124 \\ -\ \ 33 \\ \hline \end{array}$$
4 - 3 = ☐

120 - 30 = ☐

☐

⑦
$$\begin{array}{r} 118 \\ -\ \ 62 \\ \hline \end{array}$$
8 - 2 = ☐

110 - 60 = ☐

☐

⑧
$$\begin{array}{r} 144 \\ -\ \ 93 \\ \hline \end{array}$$
4 - 3 = ☐

140 - 90 = ☐

☐

⑨
$$\begin{array}{r} 158 \\ -\ \ 88 \\ \hline \end{array}$$
8 - 8 = ☐

150 - 80 = ☐

☐

세로셈

세로셈으로 계산하세요.

$$\begin{array}{r} 53 \\ -\ 18 \\ \hline \end{array} \rightarrow \begin{array}{r} \overset{4}{\cancel{5}}\ \overset{10}{3} \\ -\ 1\ 8 \\ \hline \end{array} \rightarrow \begin{array}{r} \overset{4}{\cancel{5}}\ \overset{10}{3} \\ -\ 1\ 8 \\ \hline 5 \end{array} \rightarrow \begin{array}{r} \overset{4}{\cancel{5}}\ 3 \\ -\ 1\ 8 \\ \hline 3\ 5 \end{array}$$

10 + 3 - 8 = 5

4 - 1 = 3

$$\begin{array}{r} \overset{6}{\cancel{7}}\ \overset{10}{4} \\ -\ 4\ 5 \\ \hline 2\ 9 \end{array}$$

① $\begin{array}{r} 43 \\ -\ 18 \\ \hline \end{array}$

② $\begin{array}{r} 62 \\ -\ 35 \\ \hline \end{array}$

③ $\begin{array}{r} 78 \\ -\ 39 \\ \hline \end{array}$

④ $\begin{array}{r} 81 \\ -\ 33 \\ \hline \end{array}$

⑤ $\begin{array}{r} 72 \\ -\ 37 \\ \hline \end{array}$

⑥ $\begin{array}{r} 61 \\ -\ 16 \\ \hline \end{array}$

⑦ $\begin{array}{r} 66 \\ -\ 28 \\ \hline \end{array}$

⑧ $\begin{array}{r} 45 \\ -\ 29 \\ \hline \end{array}$

⑨ $\begin{array}{r} 92 \\ -\ 54 \\ \hline \end{array}$

⑩ $\begin{array}{r} 86 \\ -\ 19 \\ \hline \end{array}$

⑪ $\begin{array}{r} 81 \\ -\ 54 \\ \hline \end{array}$

세로셈으로 계산하세요.

$$\begin{array}{r} 1\ 3\ 8 \\ -\ \ \ 6\ 5 \\ \hline \end{array} \rightarrow \begin{array}{r} 1\ 3\ 8 \\ -\ \ \ 6\ 5 \\ \hline 3 \end{array} \rightarrow \begin{array}{r} \overset{}{\not{1}}\ \overset{10}{3}\ 8 \\ -\ \ \ 6\ 5 \\ \hline 7\ 3 \end{array}$$

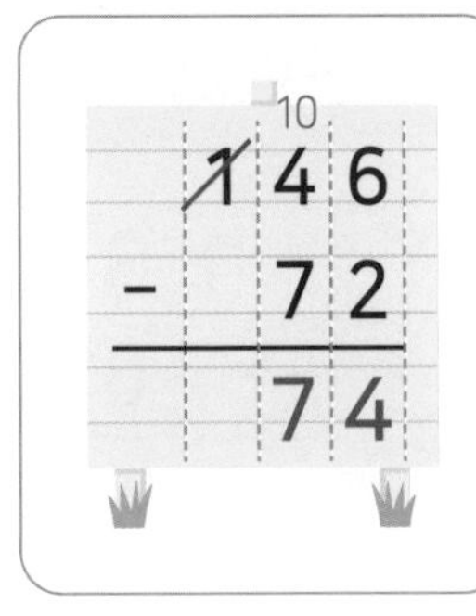

①
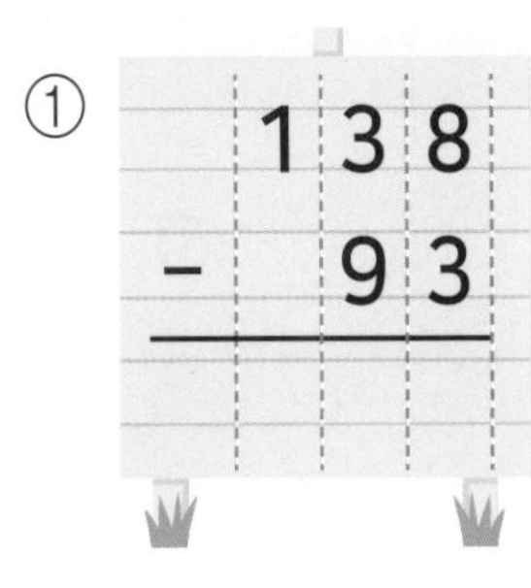

②
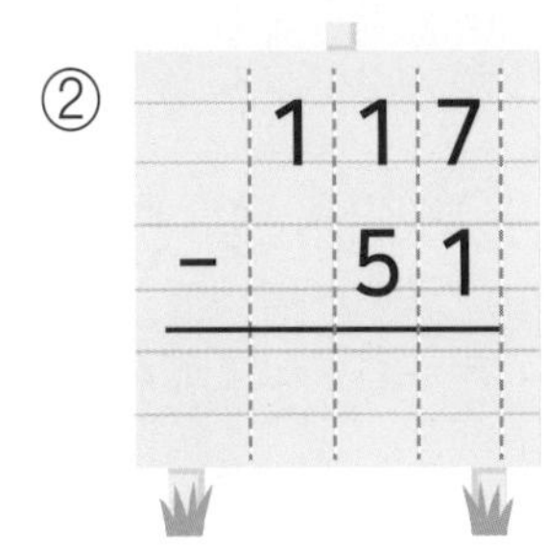

③
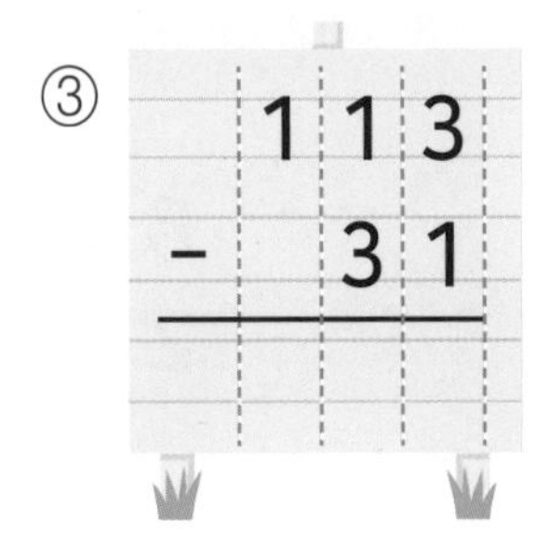

④
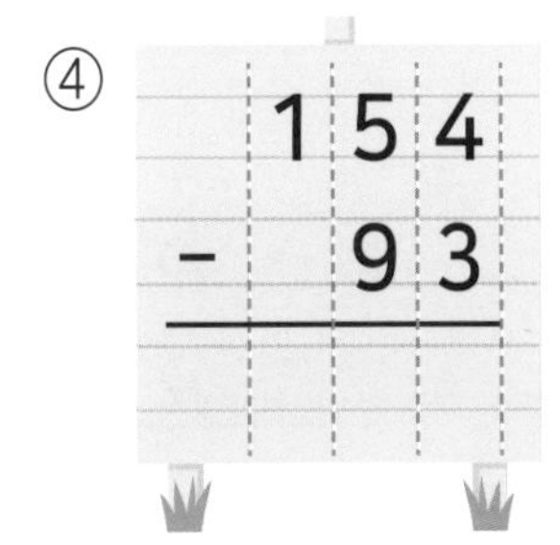

⑤
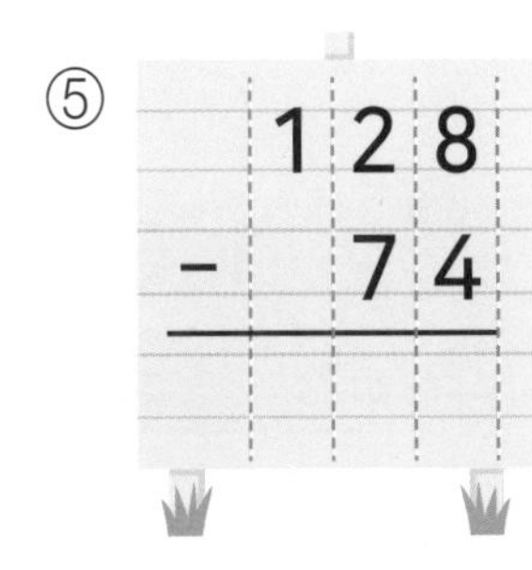

⑥
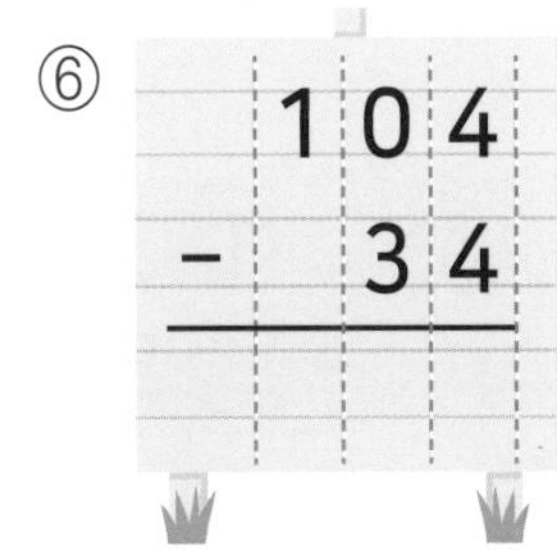

⑦
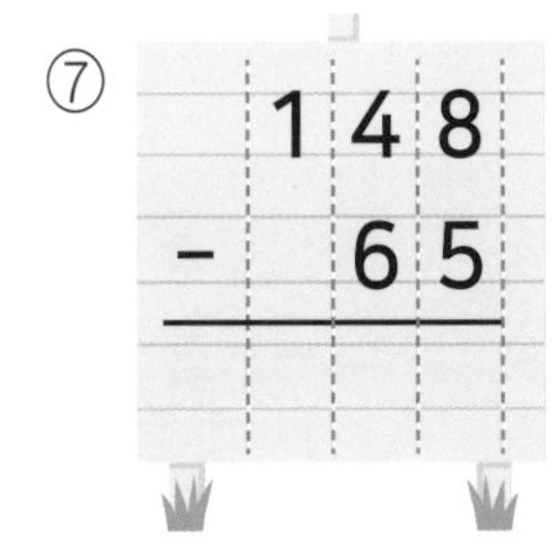

⑧
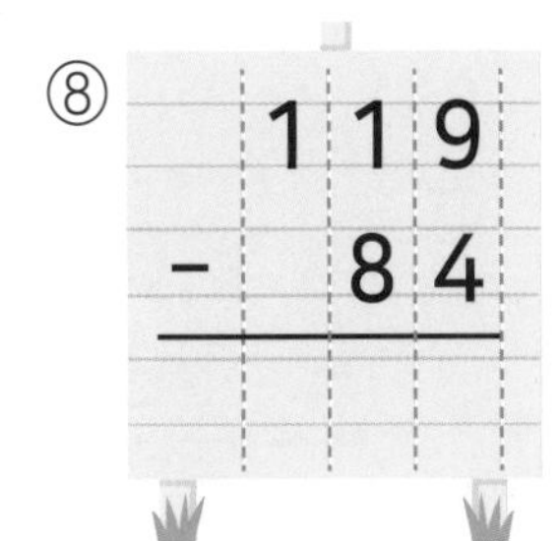

⑨
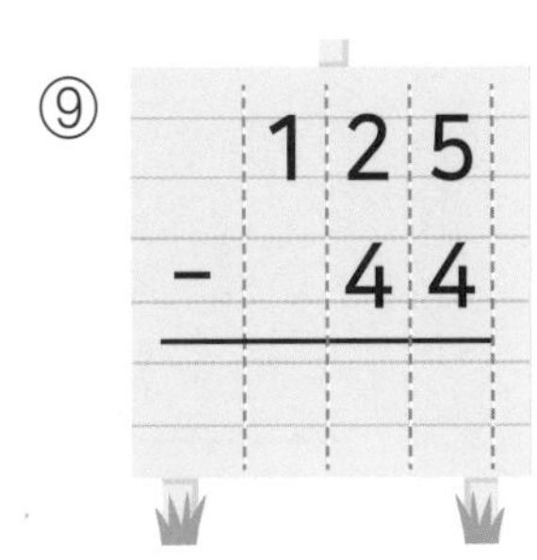

⑩ $\begin{array}{r} 1\ 3\ 7 \\ -\ \ \ 4\ 3 \\ \hline \end{array}$

⑪ $\begin{array}{r} 1\ 2\ 7 \\ -\ \ \ 7\ 3 \\ \hline \end{array}$

세로셈으로 계산하세요.

$$\begin{array}{r} \overset{3}{\cancel{4}}\overset{10}{6} \\ -\ 19 \\ \hline 27 \end{array}$$

① $\begin{array}{r} 73 \\ -\ 26 \\ \hline \end{array}$

② $\begin{array}{r} 119 \\ -\ 37 \\ \hline \end{array}$

③ $\begin{array}{r} 62 \\ -\ 47 \\ \hline \end{array}$

④ $\begin{array}{r} 63 \\ -\ 27 \\ \hline \end{array}$

⑤ $\begin{array}{r} 107 \\ -\ 73 \\ \hline \end{array}$

⑥ $\begin{array}{r} 91 \\ -\ 14 \\ \hline \end{array}$

⑦ $\begin{array}{r} 132 \\ -\ 82 \\ \hline \end{array}$

⑧ $\begin{array}{r} 35 \\ -\ 17 \\ \hline \end{array}$

⑨ $\begin{array}{r} 136 \\ -\ 55 \\ \hline \end{array}$

⑩ $\begin{array}{r} 156 \\ -\ 94 \\ \hline \end{array}$

⑪ $\begin{array}{r} 52 \\ -\ 37 \\ \hline \end{array}$

⑫ $\begin{array}{r} 53 \\ -\ 29 \\ \hline \end{array}$

⑬ $\begin{array}{r} 84 \\ -\ 57 \\ \hline \end{array}$

⑭ $\begin{array}{r} 126 \\ -\ 81 \\ \hline \end{array}$

⑮ $\begin{array}{r} 103 \\ -\ 63 \\ \hline \end{array}$

연산 퍼즐

주차 건물에 층별로 주차가 가능한 자동차 수가 디지털 숫자로 표시되어 있습니다.

★ 주차가 가능한 자동차 수의 합에서 2층의 자동차 수를 빼어서 1층에 주차 가능한 자동차 수를 구하세요. 단, 디지털 숫자로 적지 않아도 됩니다.

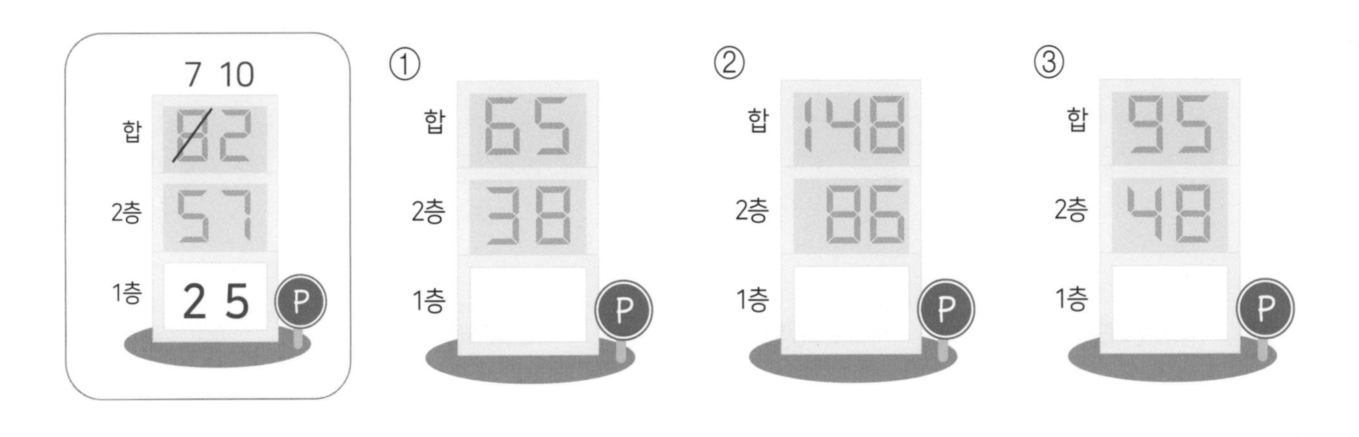

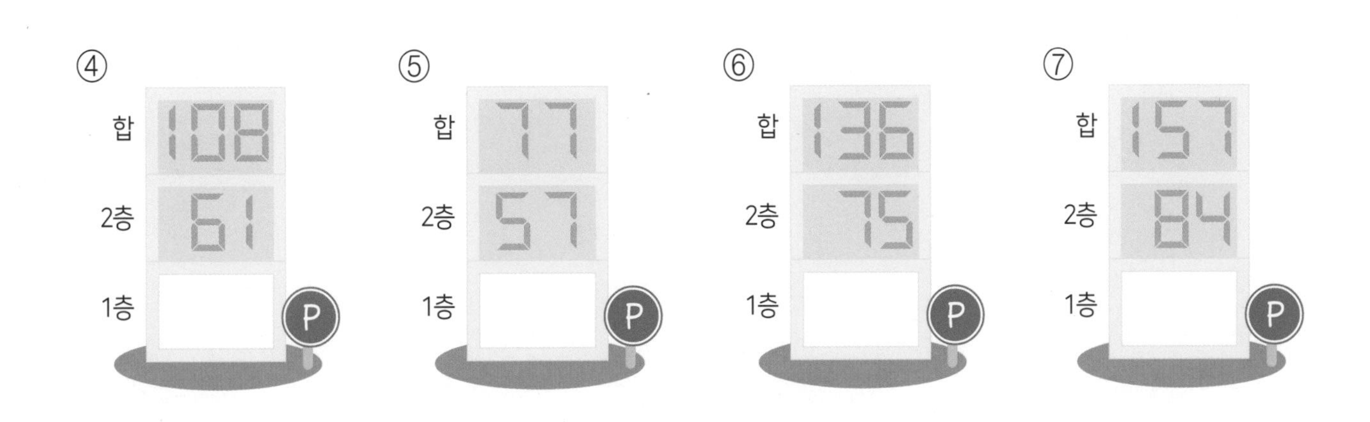

주차가 가능한 자동차 수의 합에서 2층의 자동차 수를 빼어서 1층에 주차 가능한 자동차 수를 구하세요.

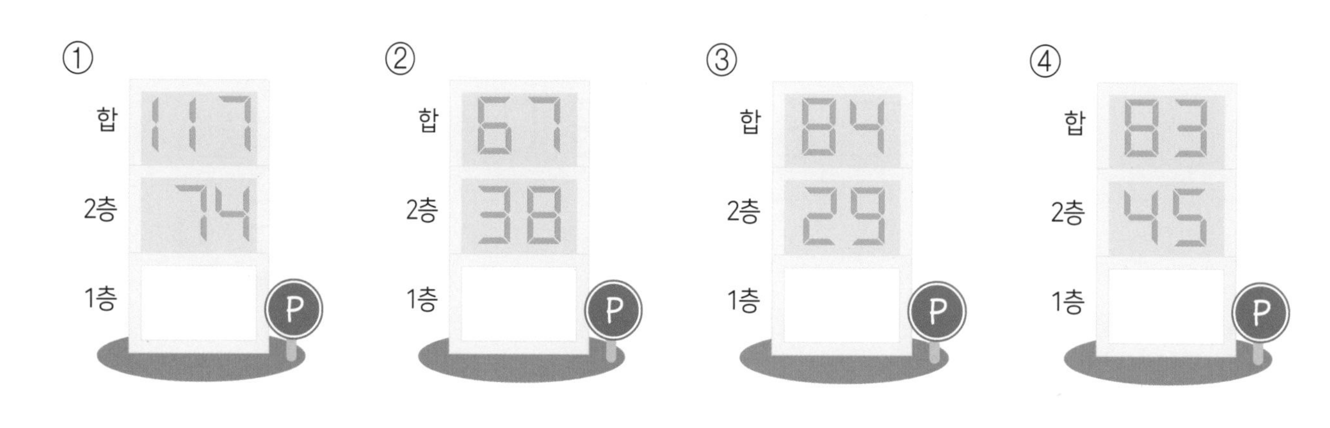

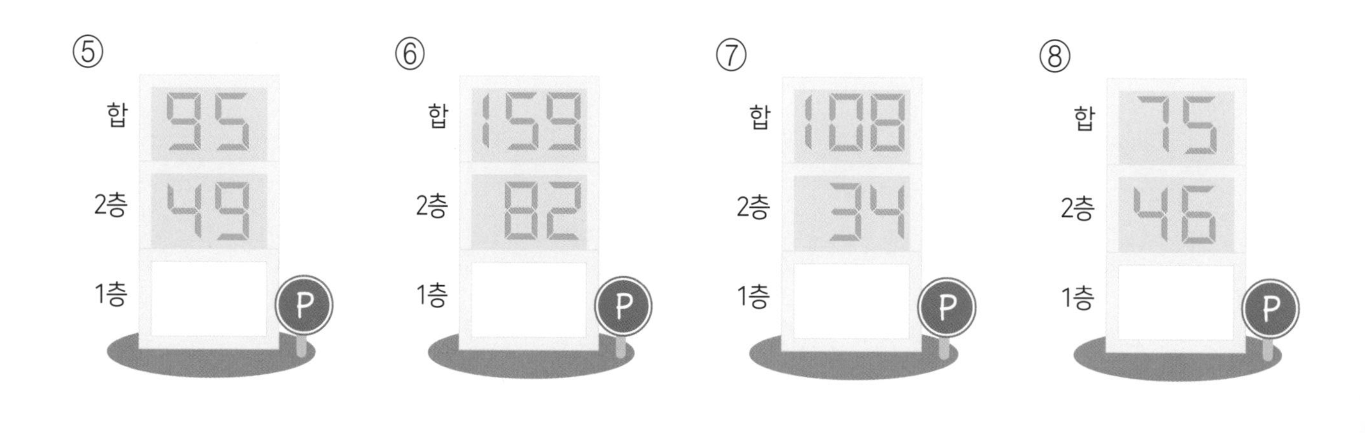

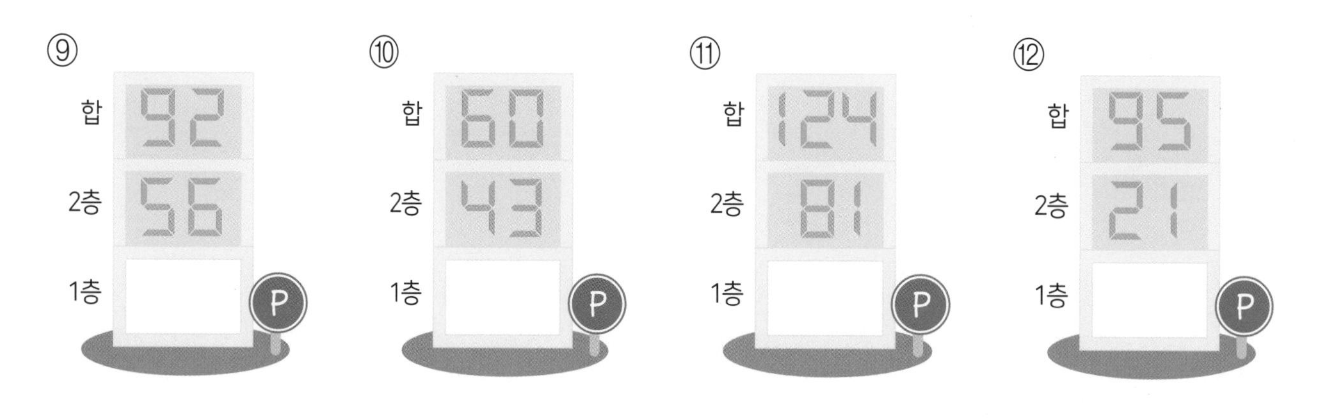

문장제

공부한 날! 월 일

글과 그림을 보고 물음에 알맞은 식을 세우고 답을 구하세요.

민혁이네 집에는 동화책이 123권, 예원이네 집에는 동화책이 81권, 선화네 집에는 동화책이 65권 있습니다.

★ 민혁이네 집에는 예원이네 집보다 동화책이 몇 권 더 많을까요?

식: 123 - 81 = 42 답: 42 권

① 예원이네 집에는 선화네 집보다 동화책이 몇 권 더 많을까요?

식: ________ 답: ____ 권

문제를 읽고 알맞은 식과 답을 써 보세요.

① 문구점에 파란 색연필이 125자루, 빨간 색연필이 52자루 있습니다. 파란 색연필은 빨간 색연필보다 몇 자루 더 많을까요?

식 : ________________ 답 : ______ 자루

② 과일 가게에 사과 73개를 가져다 놓았는데 27개가 남았습니다. 팔린 사과는 몇 개일까요?

식 : ________________ 답 : ______ 개

문제를 읽고 알맞은 식과 답을 써 보세요.

① 경현이네 어머니는 35살이시고 할머니는 62살이십니다. 할머니의 나이는 어머니의 나이보다 몇 살이 더 많을까요?

식 : ______________________ 답 : ______ 살

② 어느 수족관에 금빛 물고기가 63마리, 은빛 물고기가 38마리 있습니다. 금빛 물고기는 은빛 물고기보다 몇 마리 더 많을까요?

식 : ______________________ 답 : ______ 마리

③ 배 한 상자에 38개의 배가 들어 있습니다. 이 상자에서 19개의 배를 먹었다면 남아 있는 배는 모두 몇 개일까요?

식 : ______________________ 답 : ______ 개

문제를 읽고 알맞은 식과 답을 써 보세요.

① 은지네 학교에는 남학생이 114명, 여학생이 92명 있습니다. 남학생은 여학생보다 몇 명 더 많은가요?

식 : ______________________ 답 : ______ 명

② 제주도를 가는 비행기에 어른들과 아이들을 합쳐 136명이 타고 있는데 그 중 어른들이 92명입니다. 비행기에 타고 있는 아이들은 몇 명일까요?

식 : ______________________ 답 : ______ 명

③ 민섭이는 줄넘기를 153개, 정현이는 81개를 했습니다. 민섭이는 정현이보다 줄넘기를 몇 개 더 하였을까요?

식 : ______________________ 답 : ______ 개

4주차

받아내림 두 번 있는 뺄셈

받아내림이 두 번 있는 뺄셈의 원리를 알아보고 연습합니다. 연습은 세로셈 위주로 하도록 하였습니다.

받아내림 두 번 있는 뺄셈

동전 모형을 보고 □에 알맞은 수를 써넣으세요.

124 - 57 = 110 - 50 + 14 - 7 = 67

①

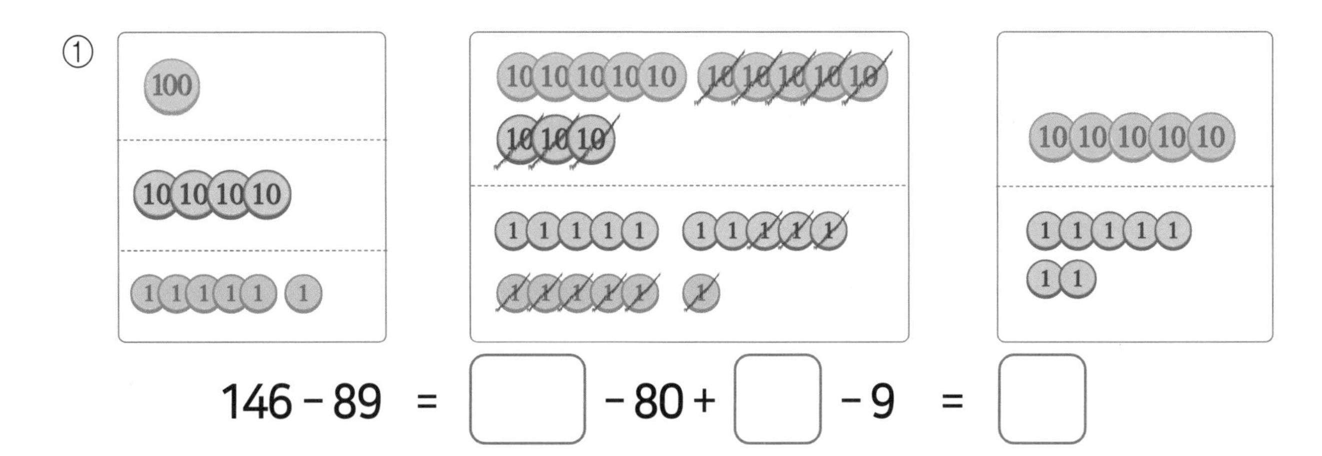

146 - 89 = □ - 80 + □ - 9 = □

②

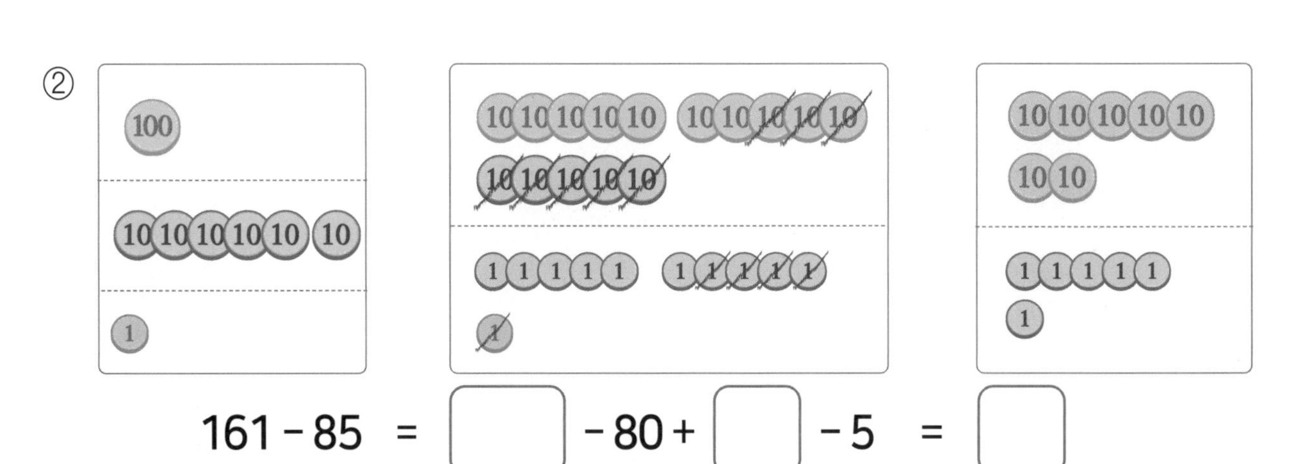

161 - 85 = □ - 80 + □ - 5 = □

백몇십과 십몇으로 나누어 같은 자리끼리 빼서 계산해 보세요.

보기: 113 − 39 → (100 − 30) | (13 − 9) → 70 | 4 → 74

① 134 − 56 → (120 − 50) | (14 − 6) → ☐ | ☐ → ☐

② 102 − 58 → (90 − 50) | (12 − 8) → ☐ | ☐ → ☐

③ 143 − 87 → (130 − 80) | (13 − 7) → ☐ | ☐ → ☐

④ 126 − 48 → (110 − 40) | (16 − 8) → ☐ | ☐ → ☐

⑤ 156 − 99 → (140 − 90) | (16 − 9) → ☐ | ☐ → ☐

⑥ 143 − 67 → (130 − 60) | (13 − 7) → ☐ | ☐ → ☐

⑦ 115 − 47 → (100 − 40) | (15 − 7) → ☐ | ☐ → ☐

백몇십과 십몇으로 나누어 같은 자리끼리 빼서 계산해 보세요.

① $135 - 78$

15 − 8 = ☐

120 − 70 = ☐

☐

② $124 - 67$

14 − 7 = ☐

110 − 60 = ☐

☐

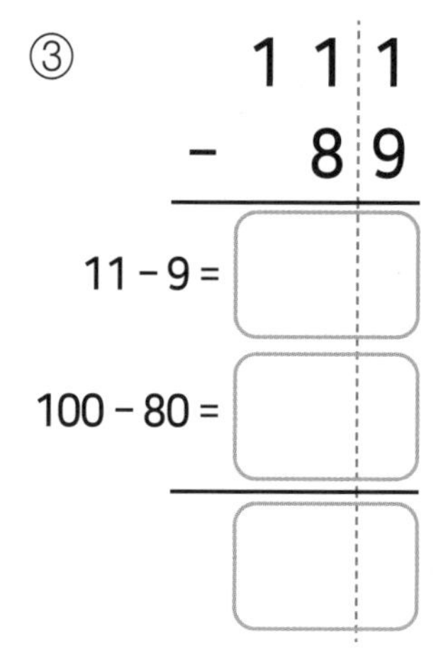

③ $111 - 89$

11 − 9 = ☐

100 − 80 = ☐

☐

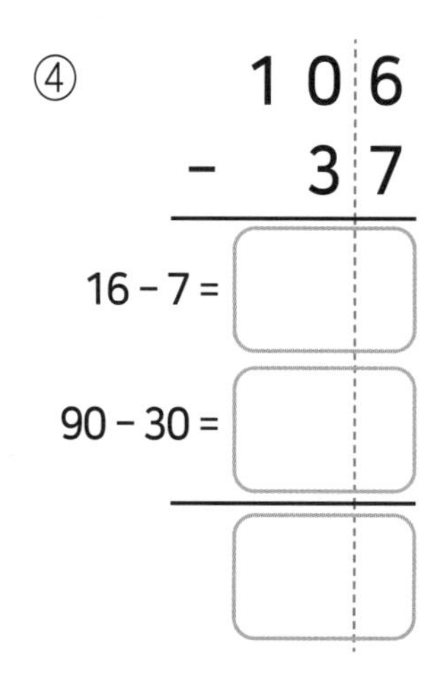

④ $106 - 37$

16 − 7 = ☐

90 − 30 = ☐

☐

⑤ $133 - 69$

13 − 9 = ☐

120 − 60 = ☐

☐

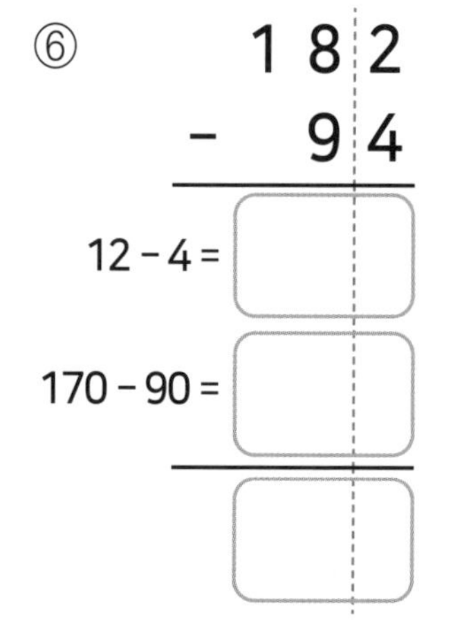

⑥ $182 - 94$

12 − 4 = ☐

170 − 90 = ☐

☐

⑦ $126 - 37$

16 − 7 = ☐

110 − 30 = ☐

☐

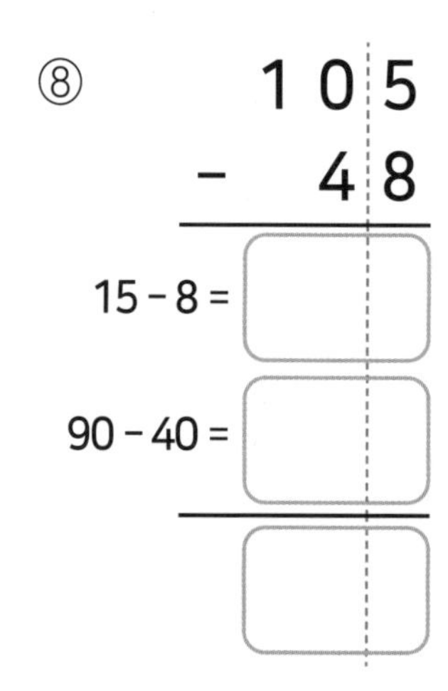

⑧ $105 - 48$

15 − 8 = ☐

90 − 40 = ☐

☐

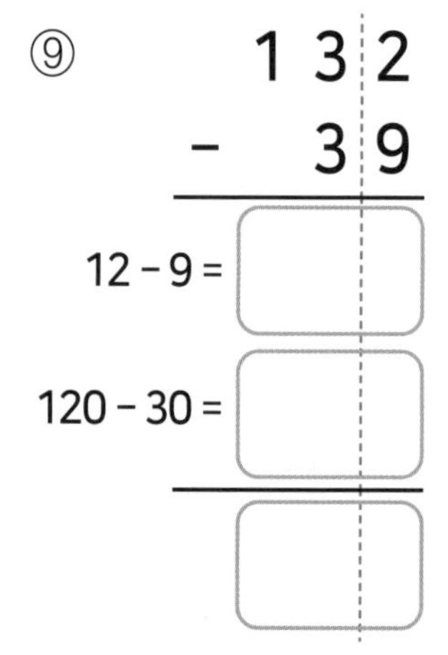

⑨ $132 - 39$

12 − 9 = ☐

120 − 30 = ☐

☐

세로셈

세로셈으로 계산하세요.

$$\begin{array}{r} 136 \\ -\ 49 \\ \hline \end{array} \rightarrow \begin{array}{r} 1\overset{2}{\not 3}\overset{10}{6} \\ -\ 4\,9 \\ \hline 7 \end{array} \rightarrow \begin{array}{r} \overset{10}{\not 1}\overset{2}{\not 3}\overset{10}{6} \\ -\ 4\,9 \\ \hline 8\,7 \end{array}$$

$$\begin{array}{r} \not 1\overset{10}{\overset{4}{\not 5}}\overset{10}{3} \\ -\ 9\,7 \\ \hline 5\,6 \end{array}$$

① $\begin{array}{r} 146 \\ -\ 77 \\ \hline \end{array}$

② $\begin{array}{r} 141 \\ -\ 68 \\ \hline \end{array}$

③ $\begin{array}{r} 127 \\ -\ 78 \\ \hline \end{array}$

④ $\begin{array}{r} 124 \\ -\ 67 \\ \hline \end{array}$

⑤ $\begin{array}{r} 133 \\ -\ 85 \\ \hline \end{array}$

⑥ $\begin{array}{r} 104 \\ -\ 69 \\ \hline \end{array}$

⑦ $\begin{array}{r} 104 \\ -\ 29 \\ \hline \end{array}$

⑧ $\begin{array}{r} 160 \\ -\ 97 \\ \hline \end{array}$

⑨ $\begin{array}{r} 114 \\ -\ 38 \\ \hline \end{array}$

⑩ $\begin{array}{r} 127 \\ -\ 48 \\ \hline \end{array}$

⑪ $\begin{array}{r} 112 \\ -\ 28 \\ \hline \end{array}$

세로셈으로 계산하세요.

$\begin{array}{r} \overset{10}{\overset{3}{\cancel{1}\cancel{4}}}\overset{10}{2} \\ -\ 65 \\ \hline 77 \end{array}$	① $\begin{array}{r} 124 \\ -\ 57 \\ \hline \end{array}$	② $\begin{array}{r} 158 \\ -\ 79 \\ \hline \end{array}$	③ $\begin{array}{r} 153 \\ -\ 79 \\ \hline \end{array}$
④ $\begin{array}{r} 116 \\ -\ 28 \\ \hline \end{array}$	⑤ $\begin{array}{r} 131 \\ -\ 58 \\ \hline \end{array}$	⑥ $\begin{array}{r} 120 \\ -\ 84 \\ \hline \end{array}$	⑦ $\begin{array}{r} 132 \\ -\ 94 \\ \hline \end{array}$
⑧ $\begin{array}{r} 104 \\ -\ 77 \\ \hline \end{array}$	⑨ $\begin{array}{r} 116 \\ -\ 59 \\ \hline \end{array}$	⑩ $\begin{array}{r} 153 \\ -\ 78 \\ \hline \end{array}$	⑪ $\begin{array}{r} 147 \\ -\ 59 \\ \hline \end{array}$
⑫ $\begin{array}{r} 142 \\ -\ 89 \\ \hline \end{array}$	⑬ $\begin{array}{r} 173 \\ -\ 99 \\ \hline \end{array}$	⑭ $\begin{array}{r} 101 \\ -\ 72 \\ \hline \end{array}$	⑮ $\begin{array}{r} 127 \\ -\ 48 \\ \hline \end{array}$

사다리셈

계산 결과를 이어서 사다리셈을 완성해 보세요.

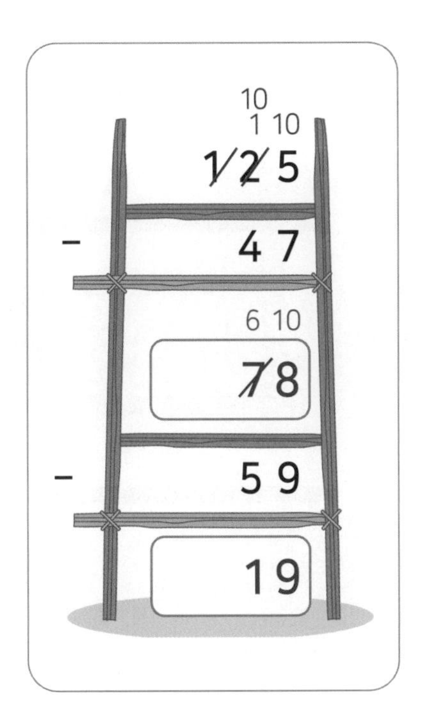

① 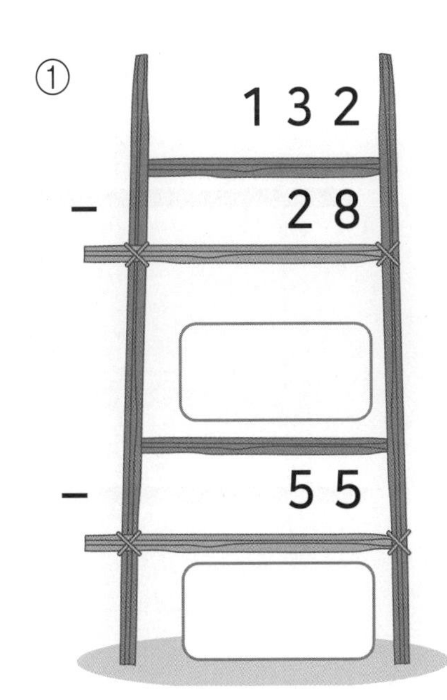

② 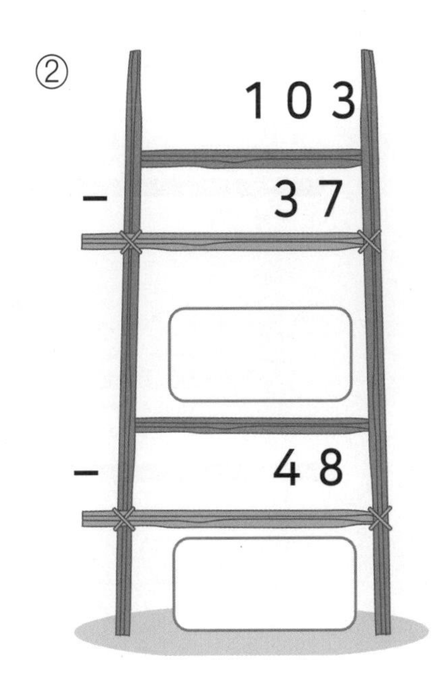

③ 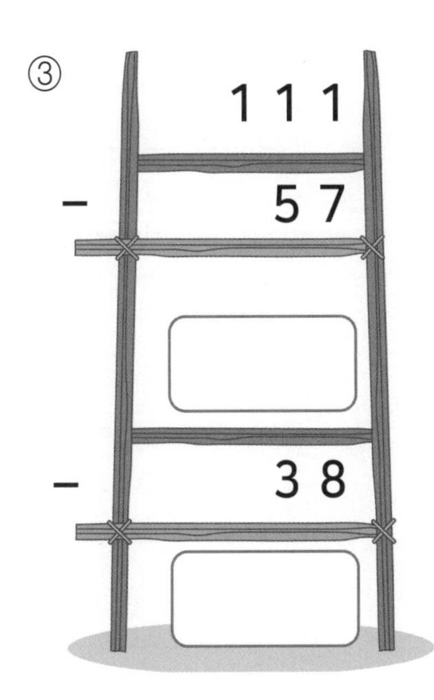

④ 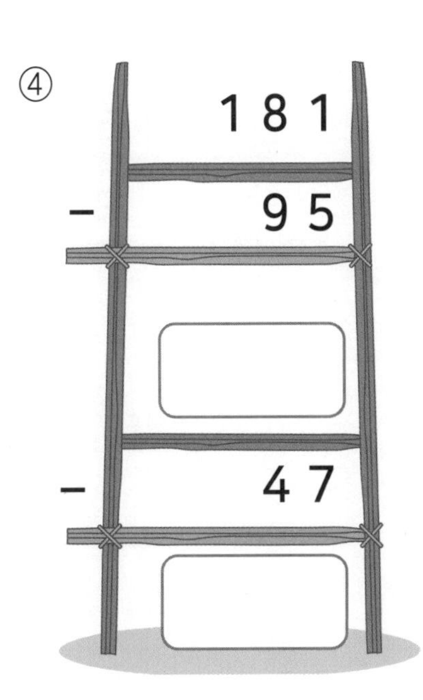

⑤ 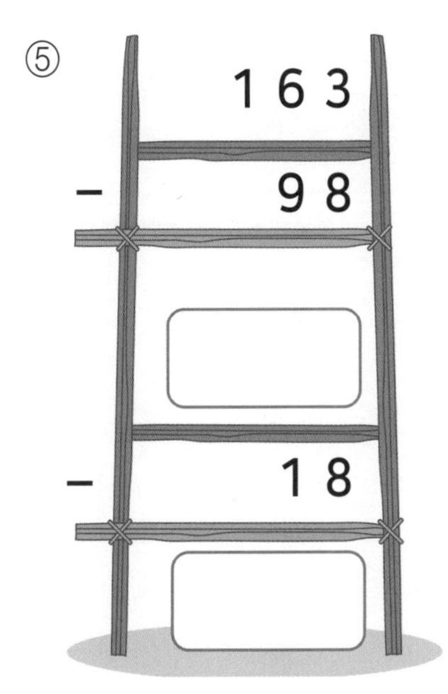

계산 결과를 이어서 사다리셈을 완성해 보세요.

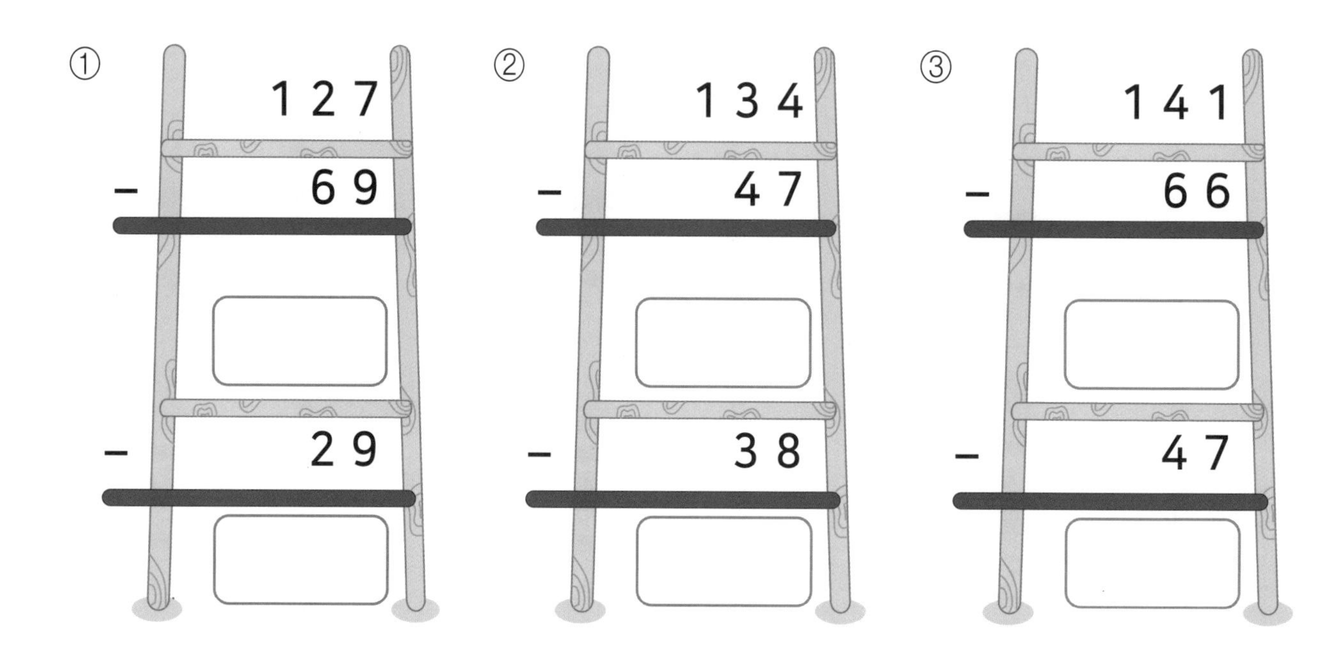

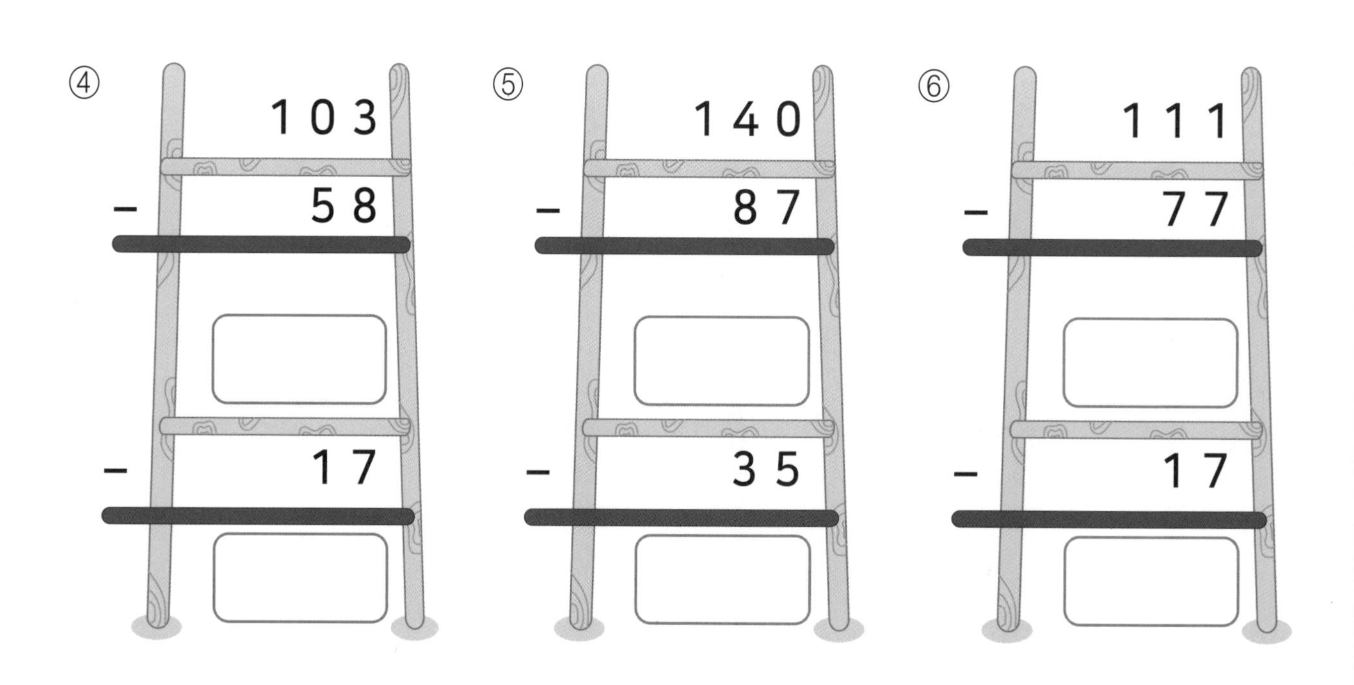

세로셈으로 계산하세요.

① $\begin{array}{r} 126 \\ -\ 58 \\ \hline \end{array}$

② $\begin{array}{r} 123 \\ -\ 28 \\ \hline \end{array}$

③ $\begin{array}{r} 152 \\ -\ 89 \\ \hline \end{array}$

④ $\begin{array}{r} 128 \\ -\ 79 \\ \hline \end{array}$

⑤ $\begin{array}{r} 105 \\ -\ 27 \\ \hline \end{array}$

⑥ $\begin{array}{r} 112 \\ -\ 65 \\ \hline \end{array}$

⑦ $\begin{array}{r} 107 \\ -\ 78 \\ \hline \end{array}$

⑧ $\begin{array}{r} 143 \\ -\ 66 \\ \hline \end{array}$

⑨ $\begin{array}{r} 150 \\ -\ 64 \\ \hline \end{array}$

⑩ $\begin{array}{r} 121 \\ -\ 76 \\ \hline \end{array}$

⑪ $\begin{array}{r} 162 \\ -\ 98 \\ \hline \end{array}$

⑫ $\begin{array}{r} 132 \\ -\ 85 \\ \hline \end{array}$

⑬ $\begin{array}{r} 113 \\ -\ 87 \\ \hline \end{array}$

⑭ $\begin{array}{r} 104 \\ -\ 28 \\ \hline \end{array}$

⑮ $\begin{array}{r} 135 \\ -\ 68 \\ \hline \end{array}$

⑯ $\begin{array}{r} 103 \\ -\ 47 \\ \hline \end{array}$

잘못 계산한 것을 찾아 바르게 고쳐 보세요.

$$\begin{array}{r}115\\-\ 68\\\hline 47\end{array}\qquad\begin{array}{r}153\\-\ 87\\\hline 66\end{array}\qquad\begin{array}{r}144\\-\ 95\\\hline \not{5}\not{9}\end{array}\ 49\qquad\begin{array}{r}128\\-\ 54\\\hline 74\end{array}$$

$$\begin{array}{r}152\\-\ 88\\\hline 74\end{array}\qquad\begin{array}{r}136\\-\ 58\\\hline 78\end{array}\qquad\begin{array}{r}102\\-\ 56\\\hline 46\end{array}\qquad\begin{array}{r}112\\-\ 78\\\hline 34\end{array}$$

$$\begin{array}{r}126\\-\ 89\\\hline 37\end{array}\qquad\begin{array}{r}119\\-\ 64\\\hline 55\end{array}\qquad\begin{array}{r}132\\-\ 46\\\hline 96\end{array}\qquad\begin{array}{r}150\\-\ 78\\\hline 72\end{array}$$

$$\begin{array}{r}120\\-\ 33\\\hline 87\end{array}\qquad\begin{array}{r}133\\-\ 49\\\hline 84\end{array}\qquad\begin{array}{r}100\\-\ 53\\\hline 47\end{array}\qquad\begin{array}{r}143\\-\ 77\\\hline 67\end{array}$$

차가 안의 수가 되는 두 수를 선으로 이어 보세요.

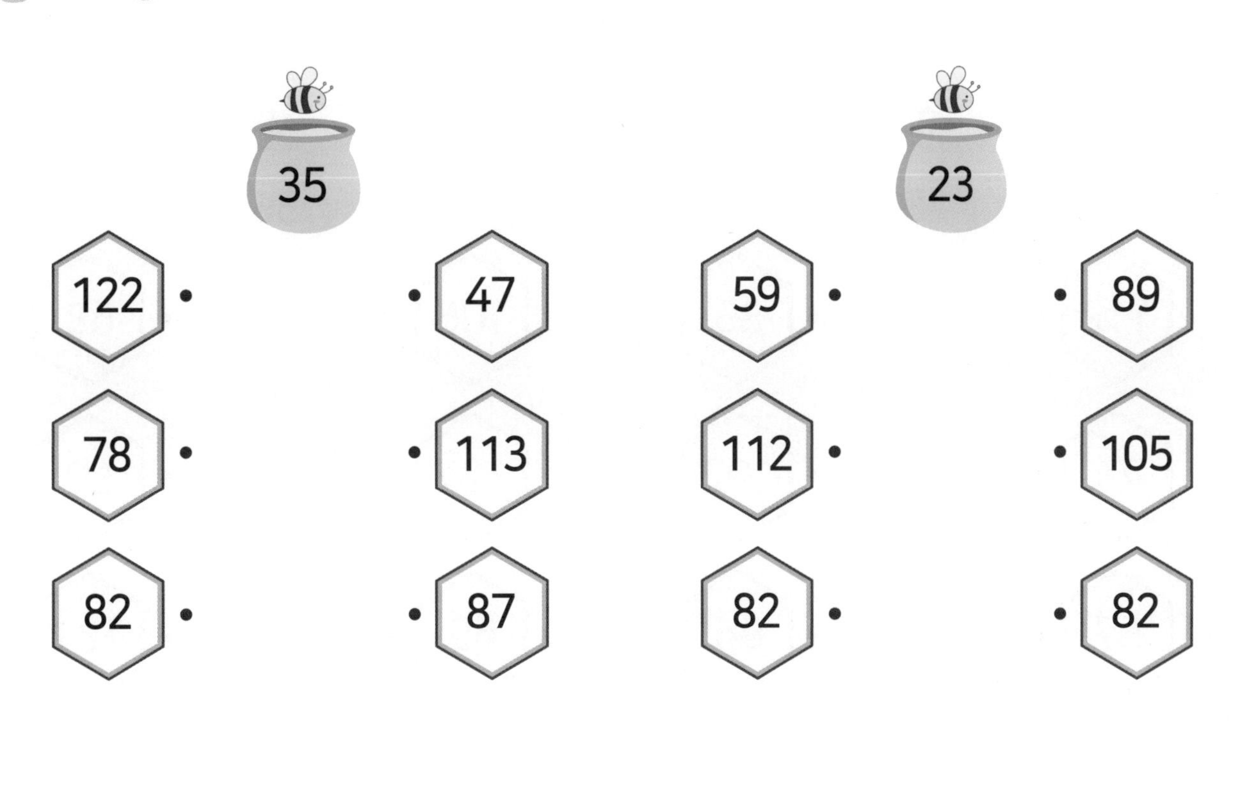

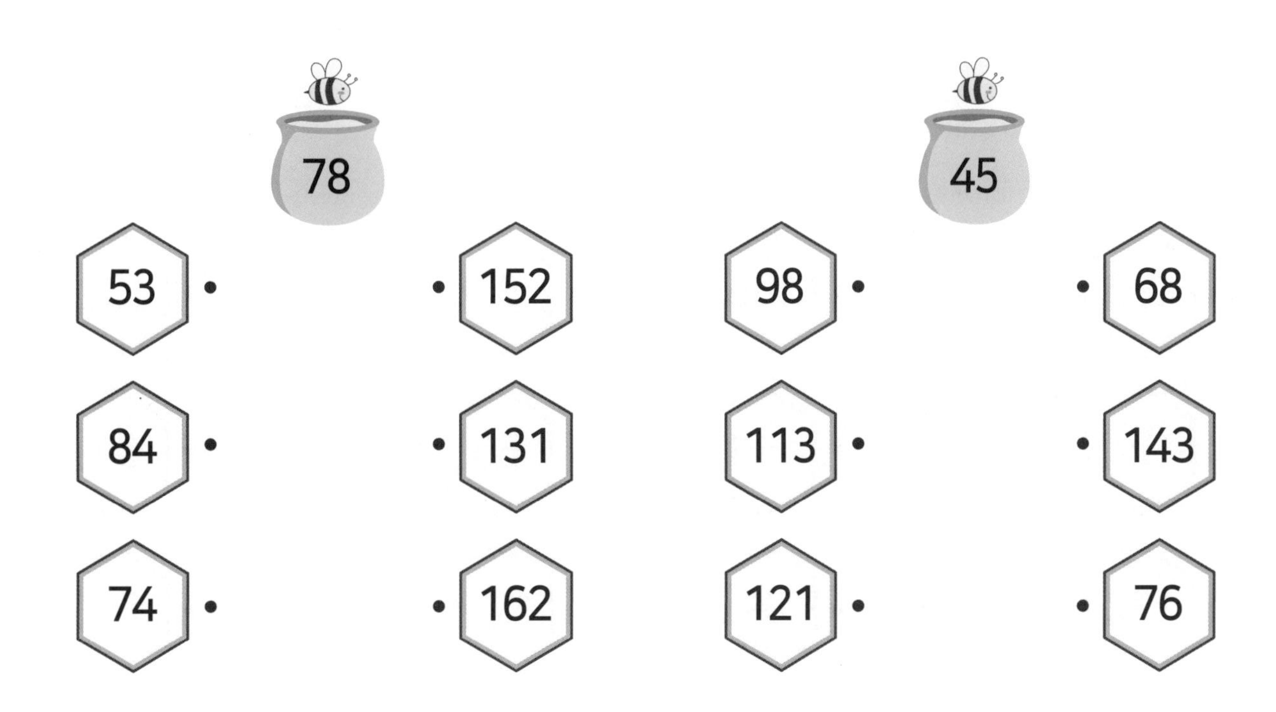

차가 안의 수가 되는 두 수를 선으로 이어 보세요.

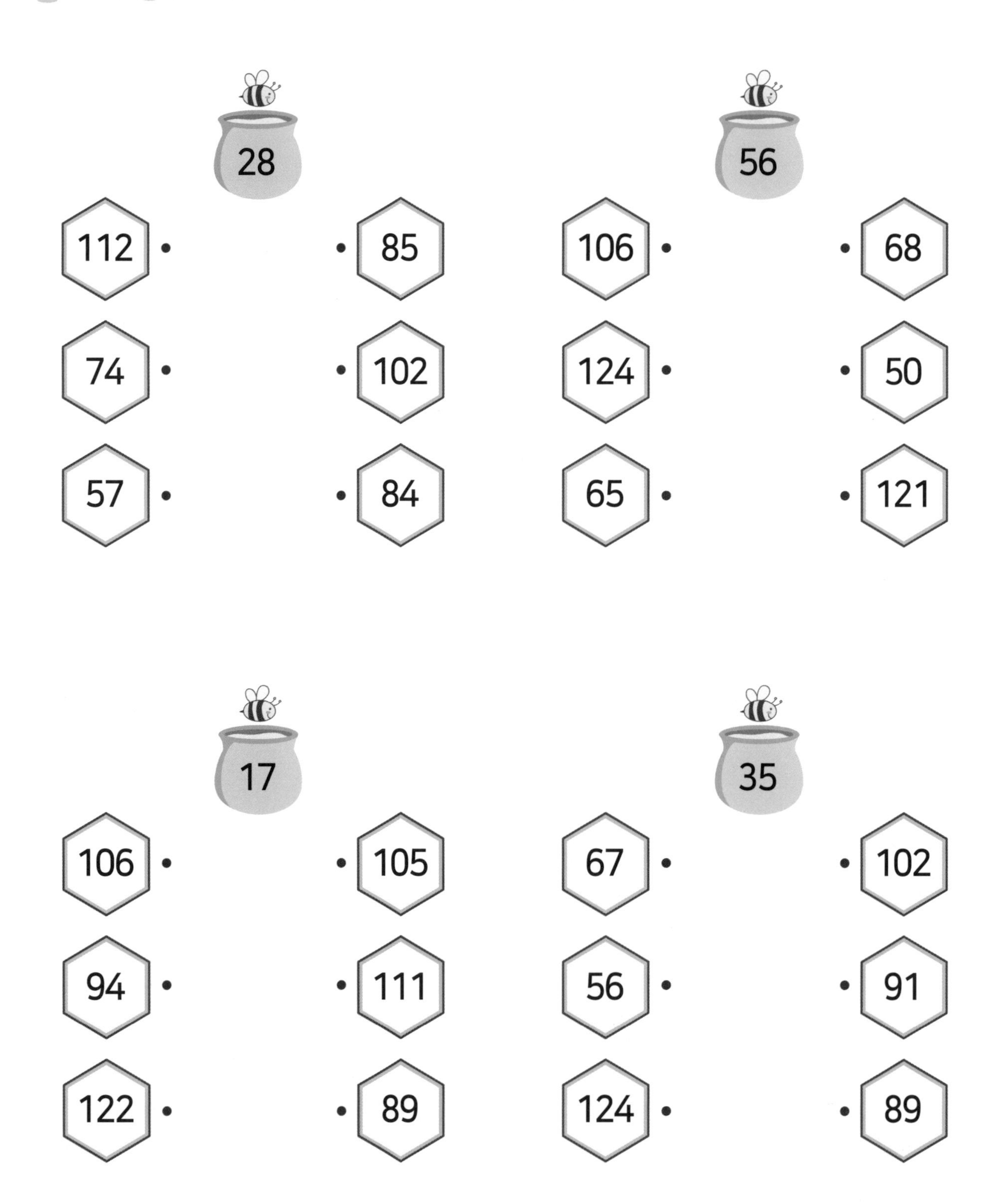

문장제

글과 그림을 보고 물음에 알맞은 식을 세우고 답을 구하세요.

성한이는 부모님과 딸기 체험 농장에 가서 아버지는 131개, 어머니는 82개, 성한이는 44개의 딸기를 땄습니다.

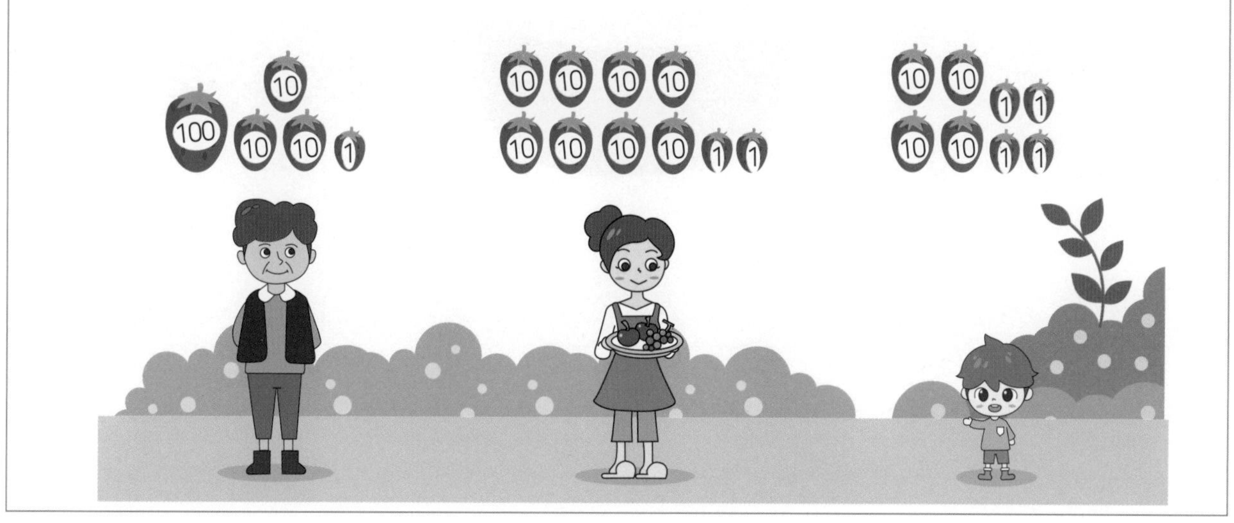

★ 아버지는 어머니보다 몇 개의 딸기를 더 땄을까요?

식 : 131 - 82 = 49 답 : 49 개

① 아버지는 성한이보다 몇 개의 딸기를 더 땄을까요?

식 : ________ 답 : ____ 개

문제를 읽고 알맞은 식과 답을 써 보세요.

① 슈퍼마켓에 125개의 달걀이 있었는데 한 손님이 37개의 달걀을 사 갔습니다. 남은 달걀은 몇 개일까요?

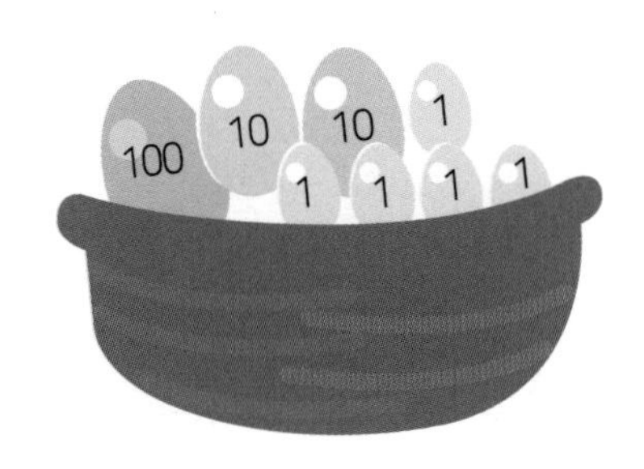

식 : ______________________ 답 : ______ 개

② 상민이는 파란 구슬 113개를 가지고 있는데 이 중 56개의 구슬을 친구에게 주었습니다. 남은 구슬은 몇 개일까요?

식 : ______________________ 답 : ______ 개

문제를 읽고 알맞은 식과 답을 써 보세요.

① 지연이는 딸기 맛과 포도 맛 140개가 들어 있는 사탕을 한 봉지 사 왔는데 딸기 맛이 83개입니다. 봉지 안에 들어 있는 포도 맛 사탕은 몇 개일까요?

식 : ______________________ 답 : ______ 개

② 성호는 아버지와 걷기 대회에 참가했는데 모두 115명이 참가하였습니다. 이 중 남성이 89명이라면 참가한 여성은 몇 명일까요?

식 : ______________________ 답 : ______ 명

③ 생선 가게에 고등어와 갈치가 모두 162마리가 있는데 그 중 고등어는 93마리입니다. 갈치는 모두 몇 마리인가요?

식 : ______________________ 답 : ______ 마리

문제를 읽고 알맞은 식과 답을 써 보세요.

① 서울에서 천안역을 거쳐 대전역으로 가는 기차 안에 모두 164명이 탔는데 천안역에서 77명이 내렸습니다. 대전역까지 가는 사람은 모두 몇 명일까요?

식 : ________________ 답 : ______ 명

② 어느 농장에 소와 돼지를 합쳐 모두 102마리가 있는데 이 중 소는 37마리입니다. 농장에 있는 돼지는 모두 몇 마리일까요?

식 : ________________ 답 : ______ 마리

③ 민준이는 지금까지 모아 온 우표가 모두 142장 있는데 이 중 67장을 동생에게 주었습니다. 남은 우표는 몇 장일까요?

식 : ________________ 답 : ______ 장

5주차

두 자리 수 덧셈, 뺄셈

1, 2권의 두 자리 수 덧셈, 뺄셈 종합 연습을 합니다. 제시된 방법을 보고 덧셈, 뺄셈을 하는 과정을 직접 적어 보고, 벌레 먹은 셈, 수직선, 다트판 등으로 응용 연산을 공부합니다.

두 자리 수 덧셈

공부한 날! 월 일

34+49를 2가지 방법으로 계산한 것입니다. □에 알맞은 수를 써넣으세요.

①

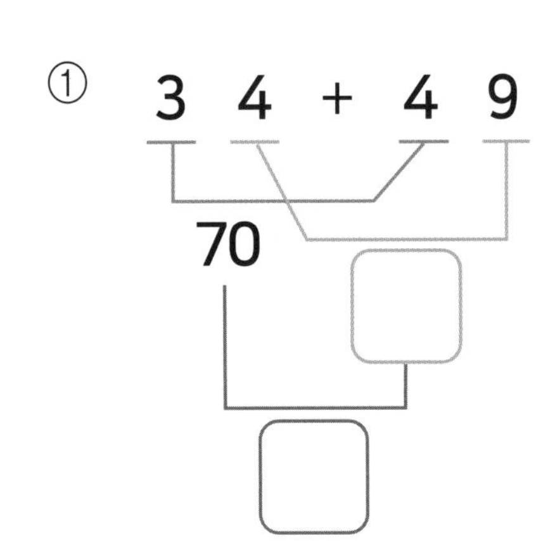

②

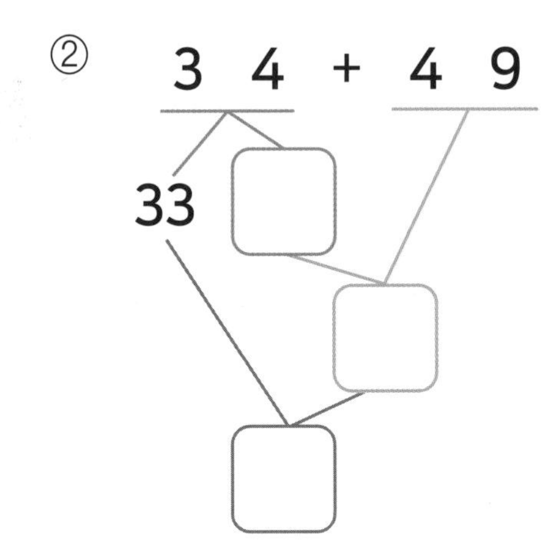

위와 같은 2가지 방법으로 계산하세요.

③

5 8 + 2 5

④

27+66을 2가지 방법으로 계산한 것입니다. □에 알맞은 수를 써넣으세요.

①

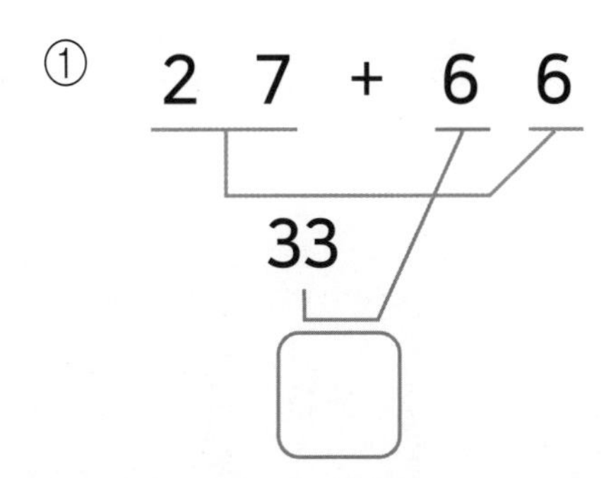

②

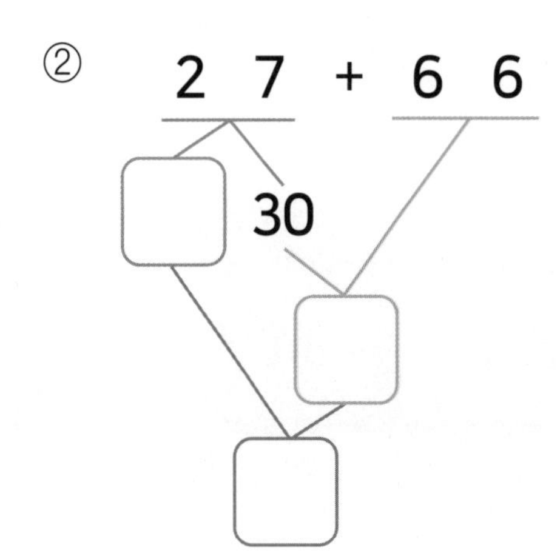

위와 같은 2가지 방법으로 계산하세요.

③ 4 6 + 1 9

④

두 수를 더하여 빈 곳에 써넣으세요.

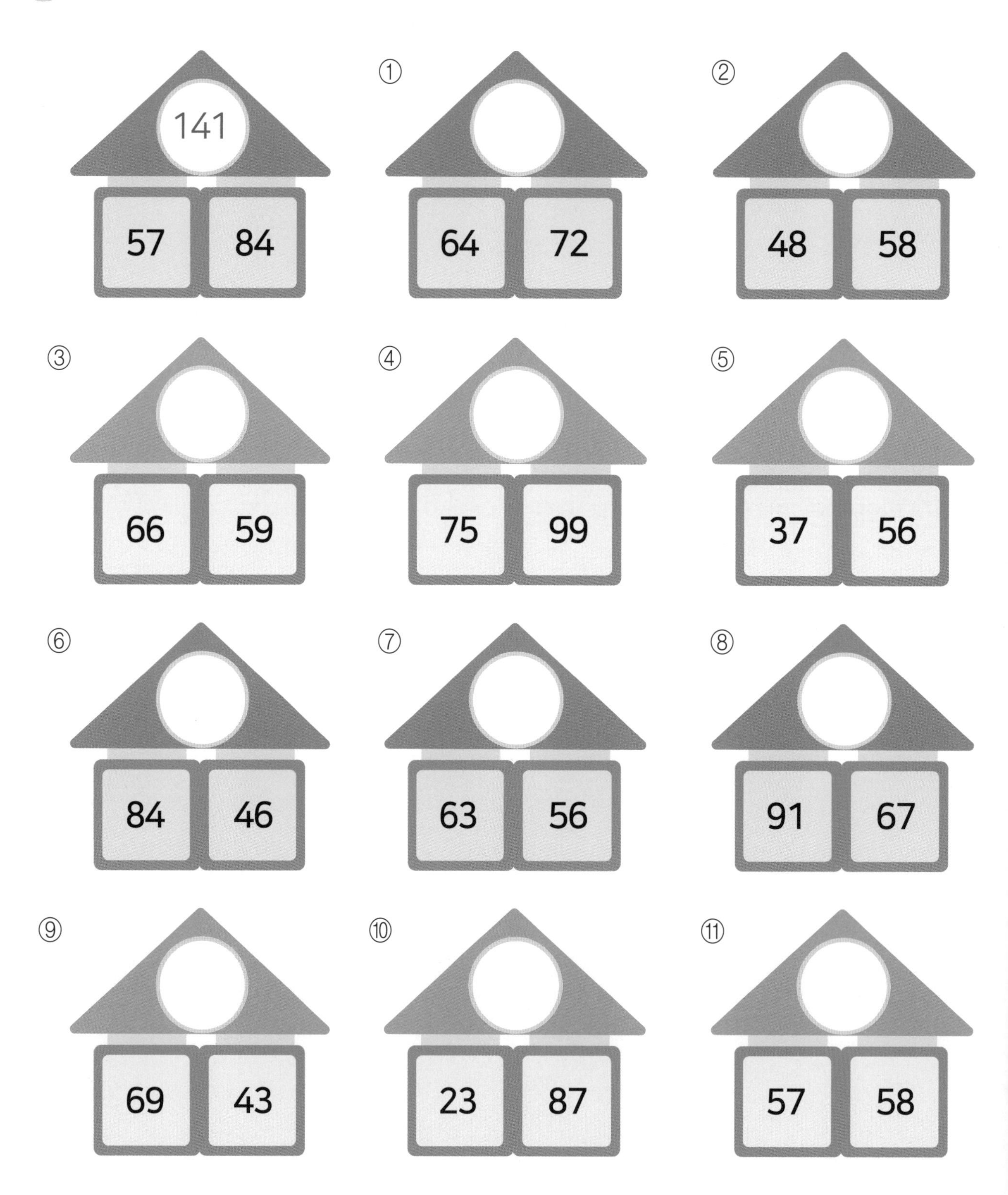

두 자리 수 뺄셈

84-39를 2가지 방법으로 계산한 것입니다. □에 알맞은 수를 써넣으세요.

①

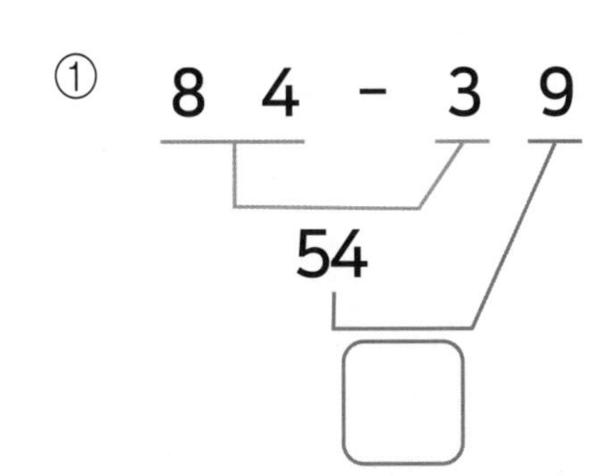

②

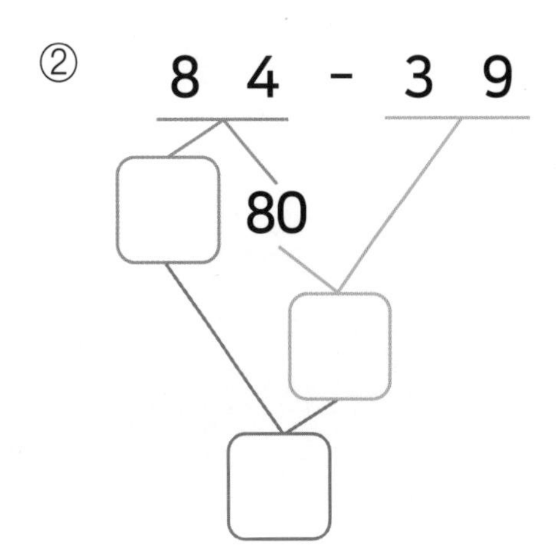

위와 같은 2가지 방법으로 계산하세요.

③ 6 1 - 2 8

④ 6 1 - 2 8

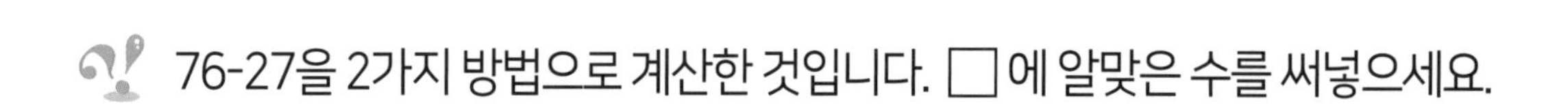

76-27을 2가지 방법으로 계산한 것입니다. □에 알맞은 수를 써넣으세요.

①

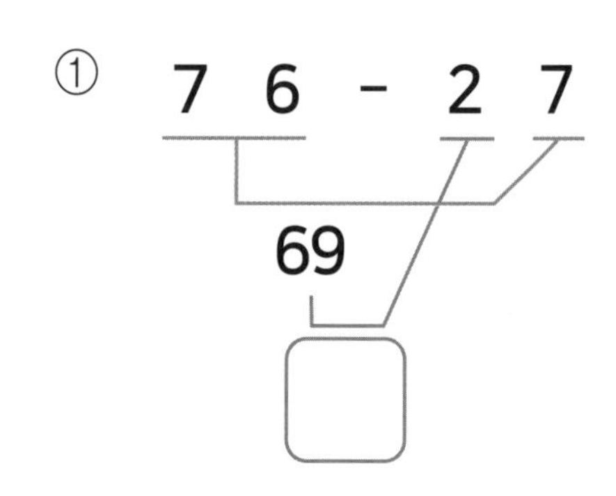

②

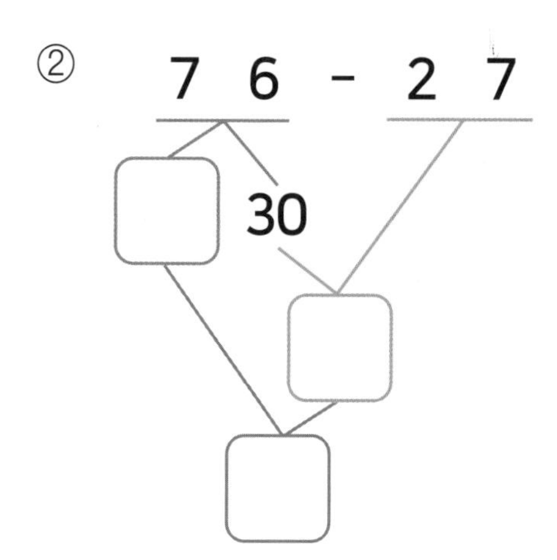

위와 같은 2가지 방법으로 계산하세요.

③ 53 - 19

④

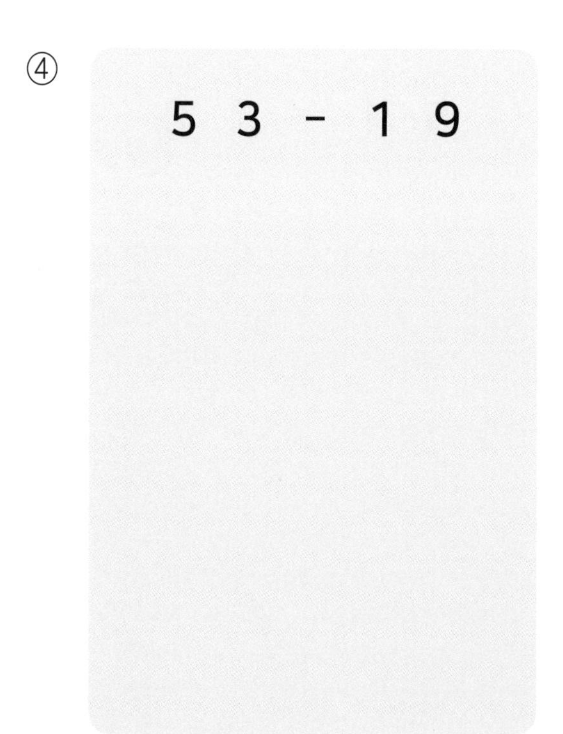

두 수의 차를 빈 곳에 써넣으세요.

①

②

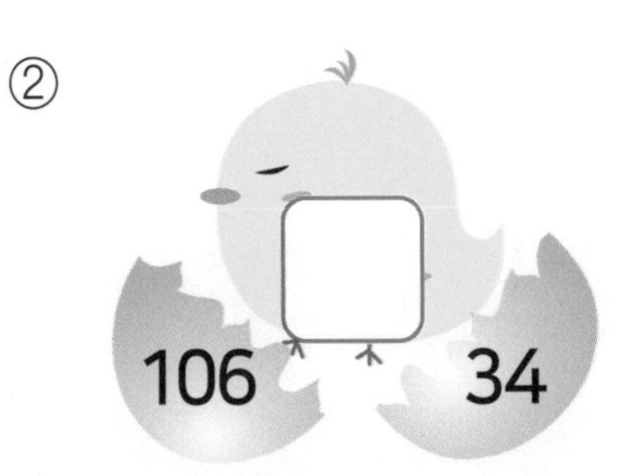

③

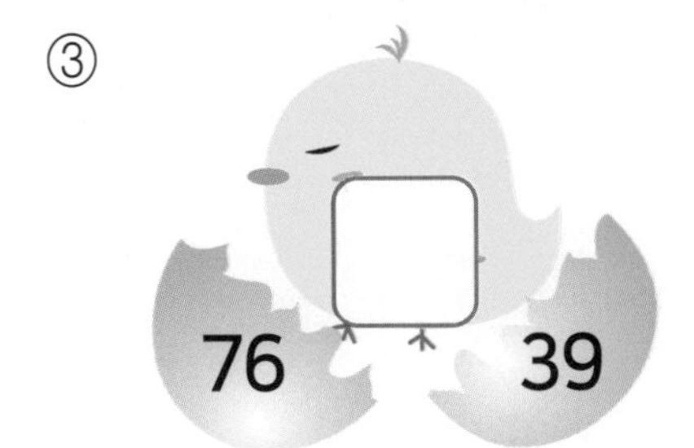

④

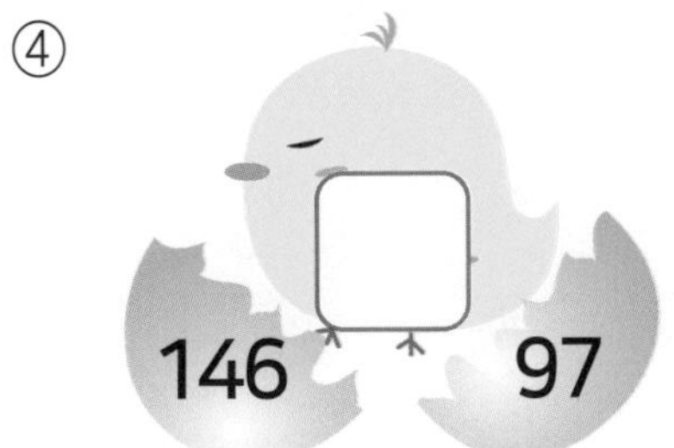

⑤

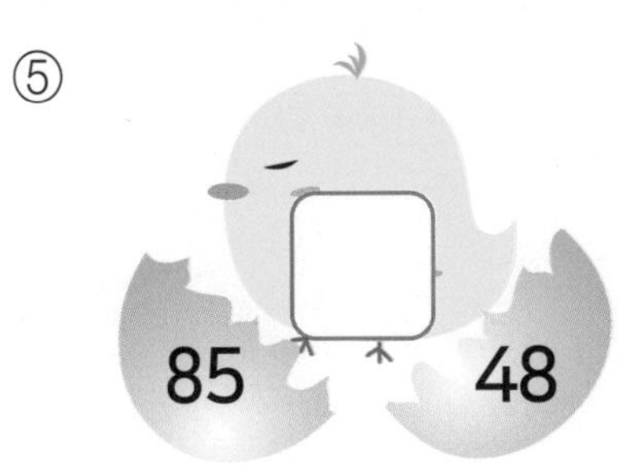

⑥

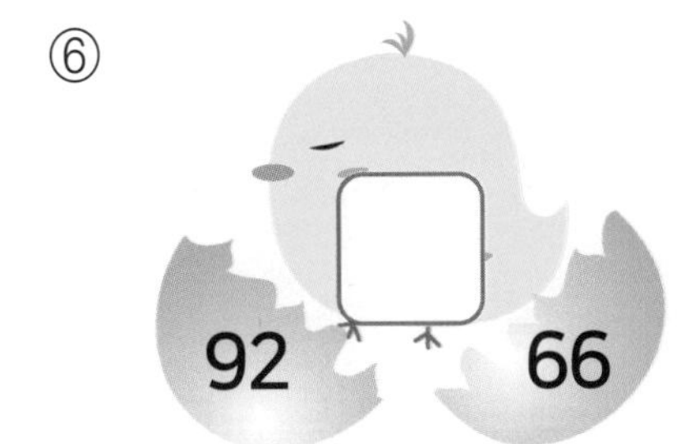

⑦

⑧

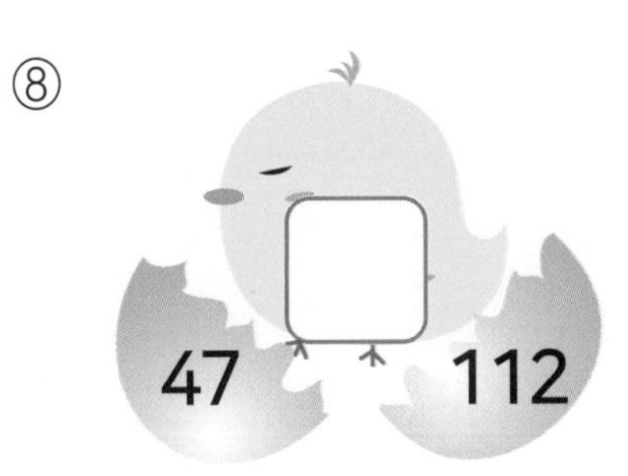

⑨

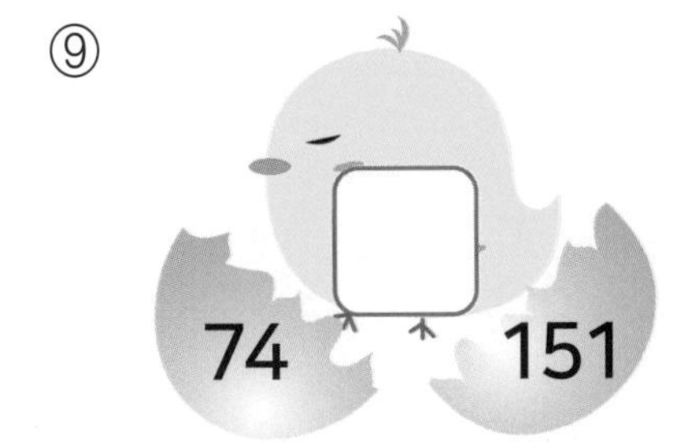

⑩

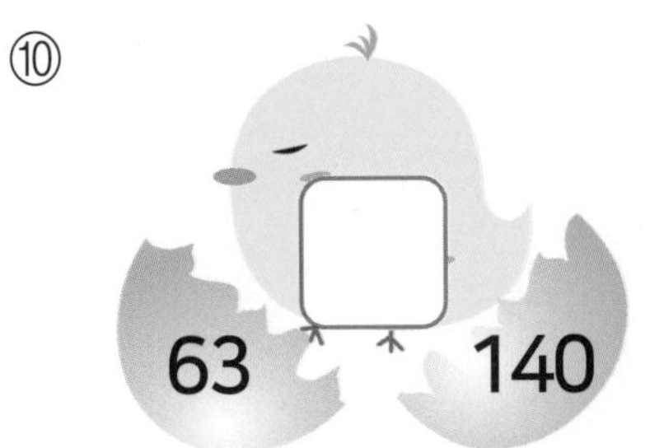

⑪

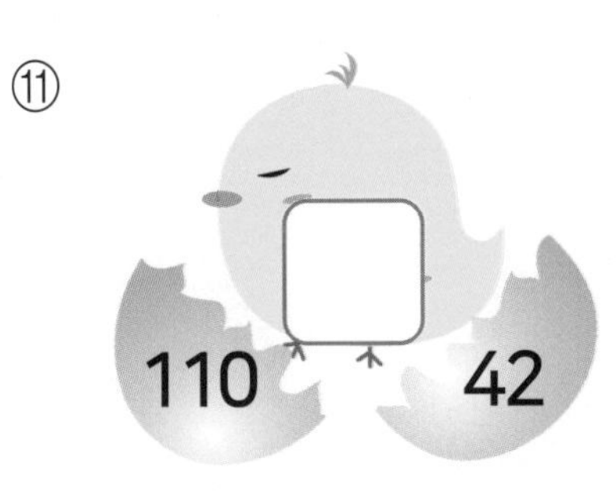

벌레 먹은 셈

벌레가 종이를 먹어 보이지 않는 수가 있습니다. □에 알맞은 수를 써넣으세요.

$$\begin{array}{r} 7\ 4 \\ +\ 1\ \boxed{7} \\ \hline 9\ 1 \end{array}$$

①

$$\begin{array}{r} 8\ 5 \\ -\ \boxed{}\ 8 \\ \hline 2\ 7 \end{array}$$

② 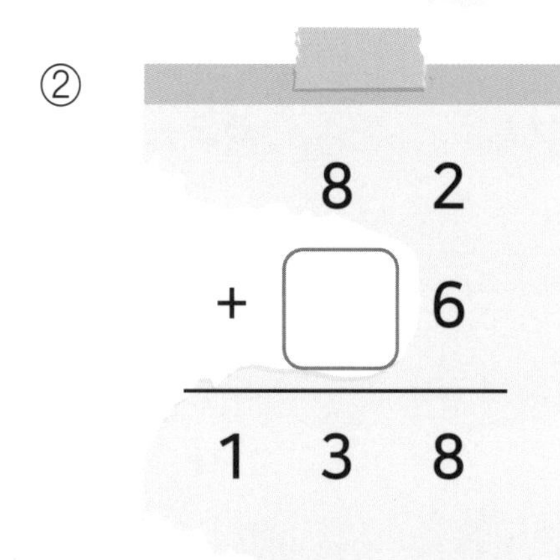

③

$$\begin{array}{r} 6\ 2 \\ -\ 3\ \boxed{} \\ \hline 2\ 6 \end{array}$$

④ 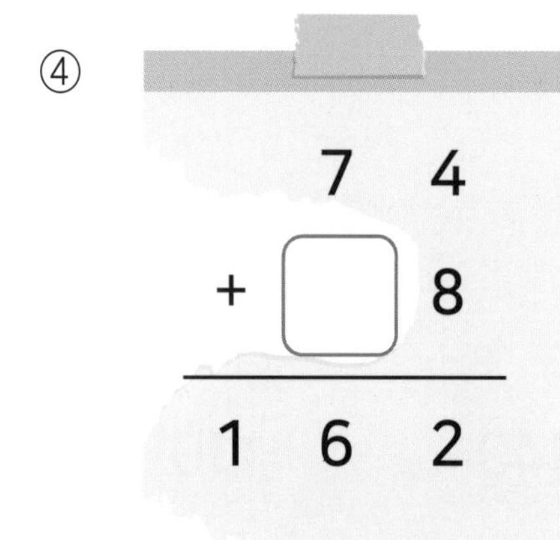

⑤ 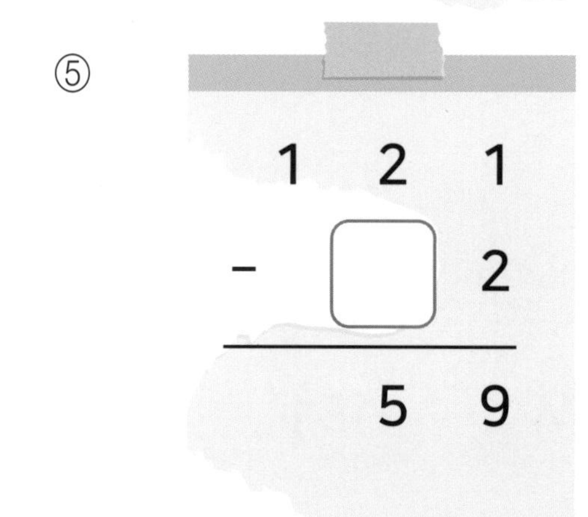

□에 알맞은 수를 써넣으세요.

①
$$\begin{array}{r} 4\ 3 \\ +\ \square\ 8 \\ \hline 8\ 1 \end{array}$$

②
$$\begin{array}{r} 6\ \square \\ -\ 1\ 3 \\ \hline 4\ 9 \end{array}$$

③
$$\begin{array}{r} 1\ 6 \\ +\ \square\ 4 \\ \hline 5\ 0 \end{array}$$

④
$$\begin{array}{r} \square\ 4 \\ -\ 3\ 7 \\ \hline 1\ 7 \end{array}$$

⑤
$$\begin{array}{r} \square\ 9 \\ +\ 4\ 3 \\ \hline 1\ 0\ 2 \end{array}$$

⑥
$$\begin{array}{r} 1\ 2\ 6 \\ -\ \square\ 9 \\ \hline 5\ 7 \end{array}$$

⑦
$$\begin{array}{r} 2\ 8 \\ +\ 9\ \square \\ \hline 1\ 2\ 3 \end{array}$$

⑧
$$\begin{array}{r} 1\ 0\ 3 \\ -\ 7\ \square \\ \hline 2\ 5 \end{array}$$

□에 알맞은 수를 써넣으세요.

①
$$\begin{array}{rrr} & 7 & \square \\ - & 4 & 4 \\ \hline & \square & 7 \end{array}$$

②
$$\begin{array}{rrr} 1 & \square & 5 \\ - & 2 & \square \\ \hline & 9 & 2 \end{array}$$

③
$$\begin{array}{rrr} & \square & 4 \\ + & 1 & 7 \\ \hline & 5 & \square \end{array}$$

④
$$\begin{array}{rrr} & \square & 9 \\ + & 6 & \square \\ \hline 1 & 4 & 8 \end{array}$$

⑤
$$\begin{array}{rrr} 1 & 8 & \square \\ - & \square & 9 \\ \hline & 9 & 6 \end{array}$$

⑥
$$\begin{array}{rrr} & 4 & \square \\ + & \square & 8 \\ \hline 1 & 2 & 0 \end{array}$$

⑦
$$\begin{array}{rrr} & 7 & 9 \\ + & 4 & \square \\ \hline 1 & \square & 3 \end{array}$$

⑧
$$\begin{array}{rrr} & \square & 3 \\ - & 5 & \square \\ \hline & 1 & 7 \end{array}$$

⑨
$$\begin{array}{rrr} 1 & \square & 0 \\ - & 7 & \square \\ \hline & 3 & 2 \end{array}$$

수직선

수직선을 보고 알맞은 식을 써 보세요.

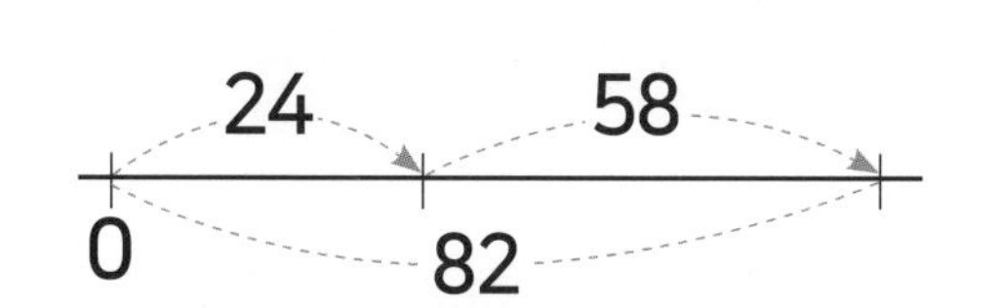

식: 24 + 58 = 82

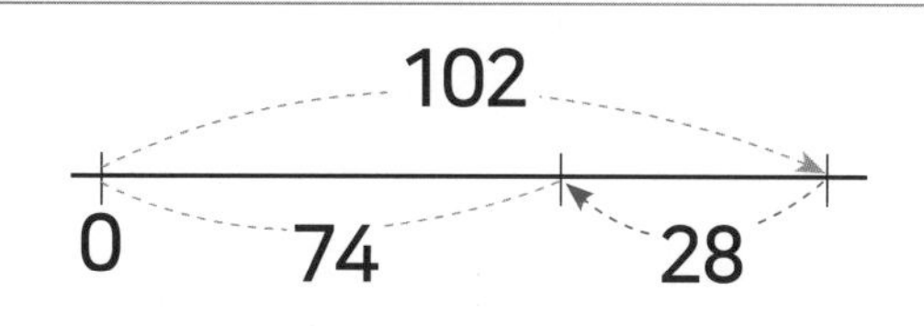

식: 102 - 28 = 74

①

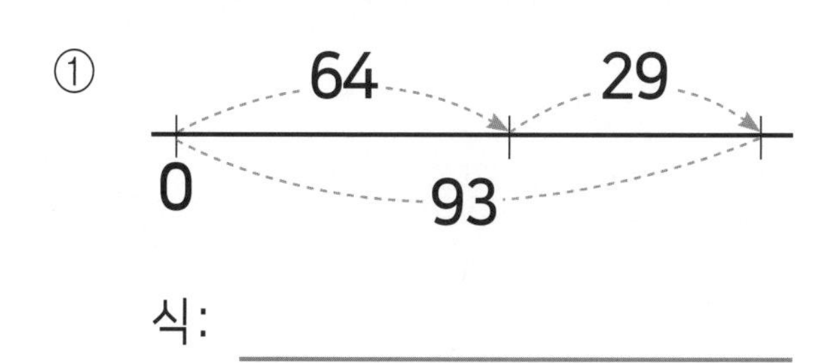

식: ______

②

83
0
46
37

식: ______

③

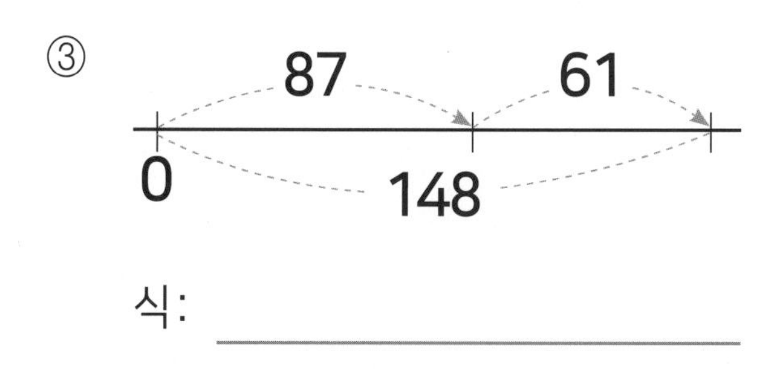

식: ______

④

93
0
74
19

식: ______

⑤

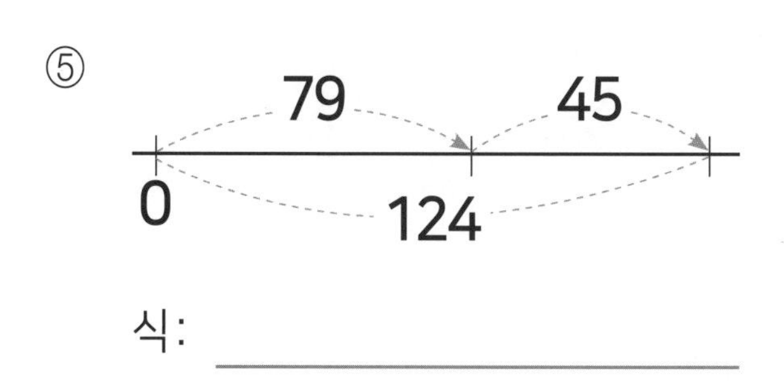

식: ______

⑥

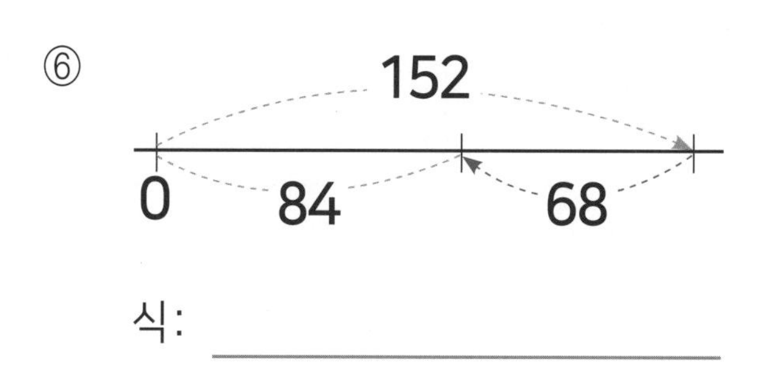

식: ______

□에 알맞은 수를 써넣으세요.

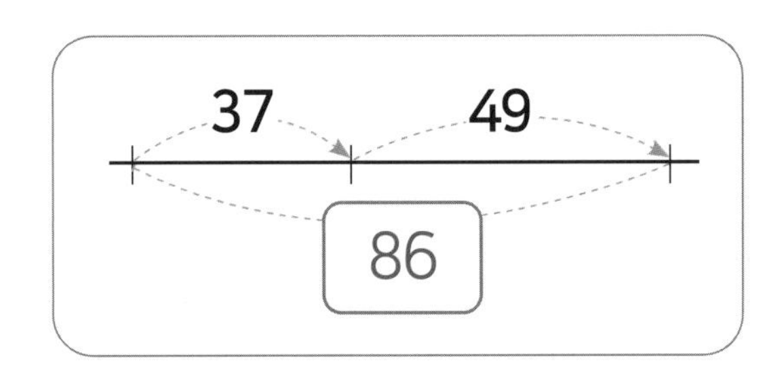

①
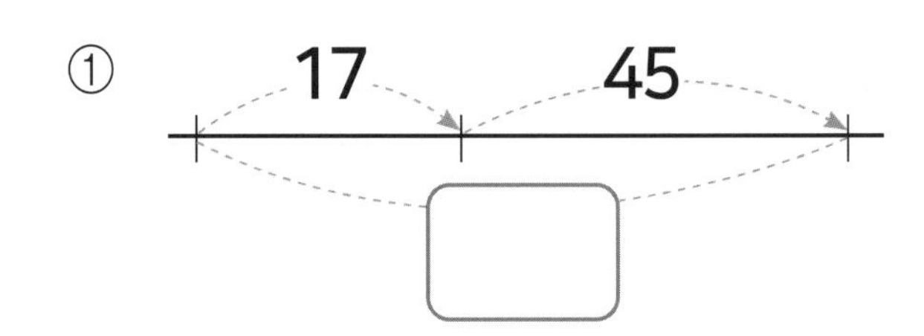

②
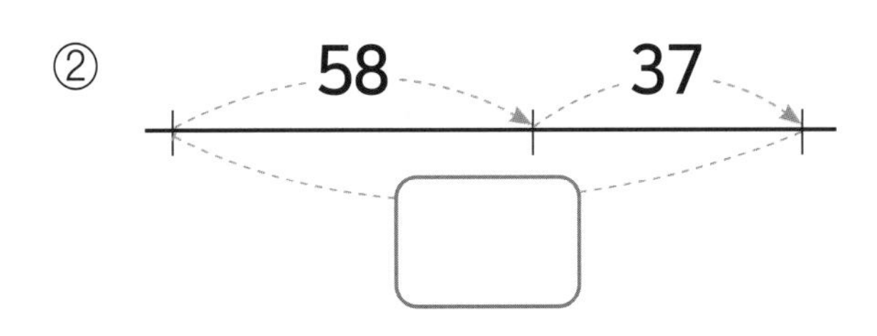

③
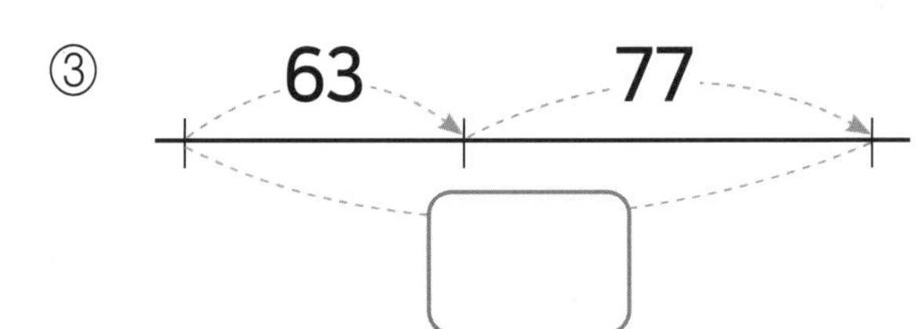

④
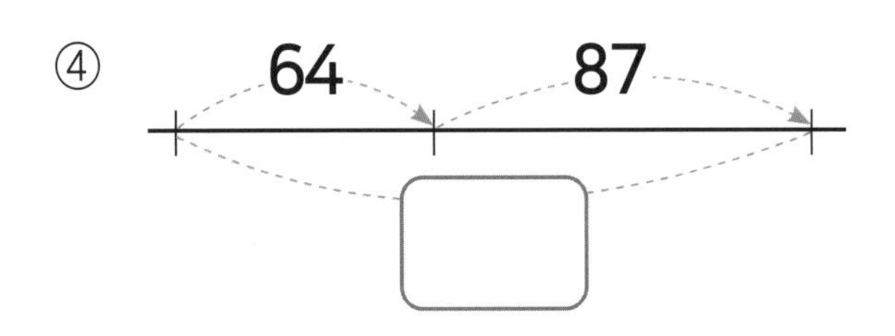

⑤
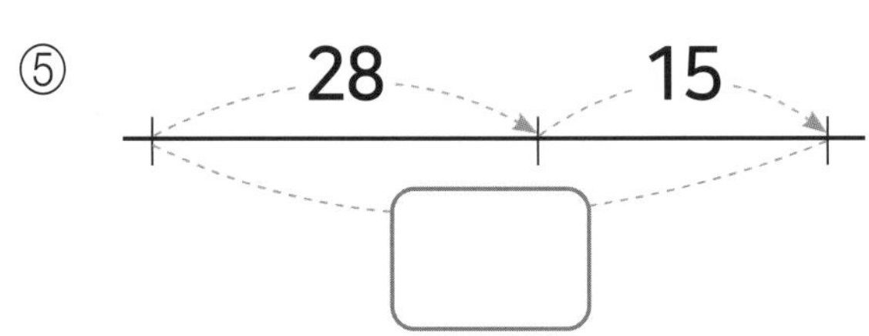

⑥
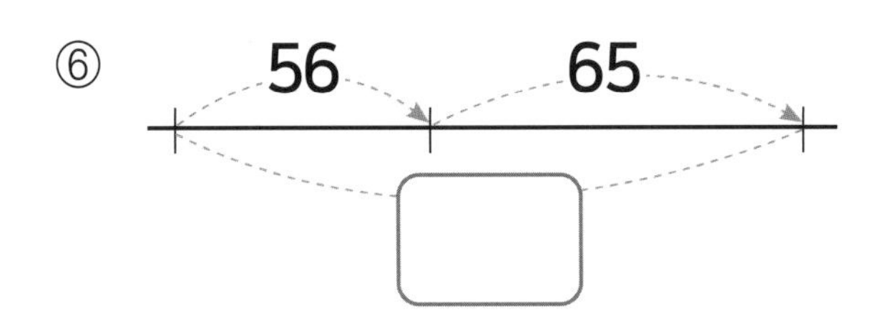

⑦
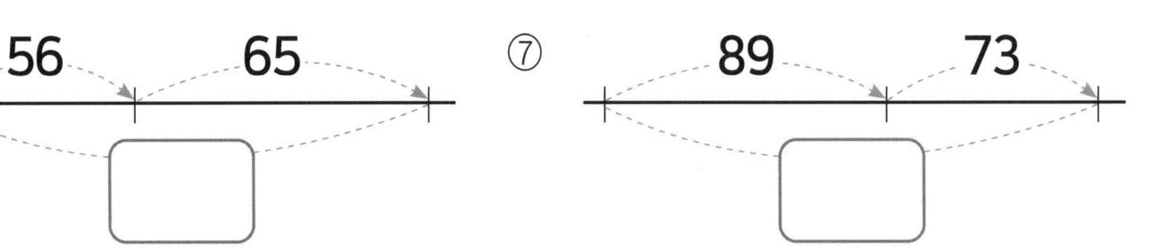

⑧
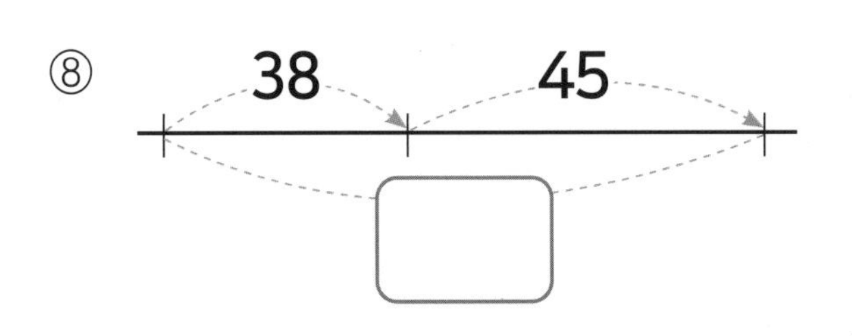

⑨
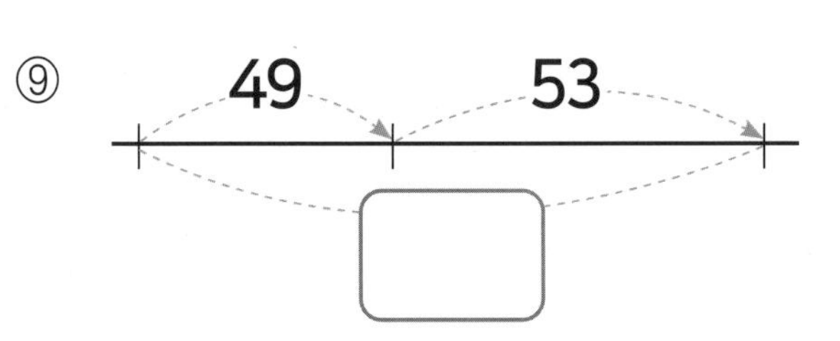

□에 알맞은 수를 써넣으세요.

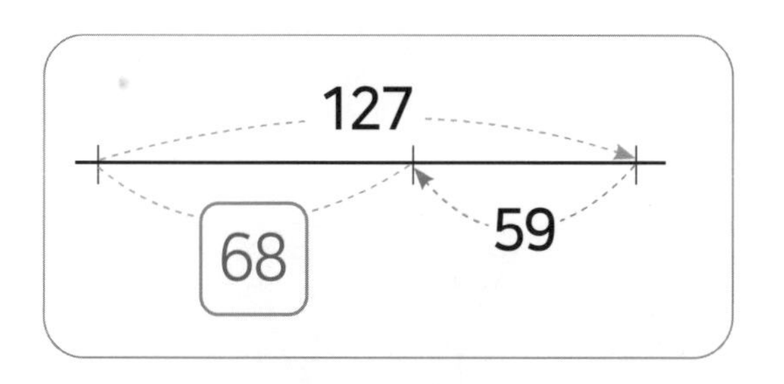

① 61, 28, □

②
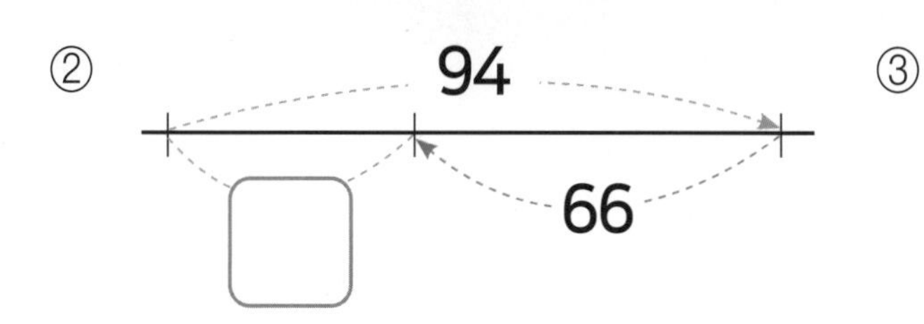

③ 104, 31, □

④
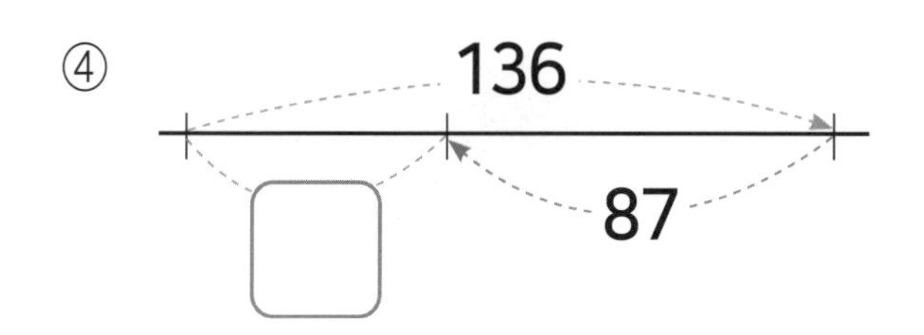

⑤ 86, 49, □

⑥
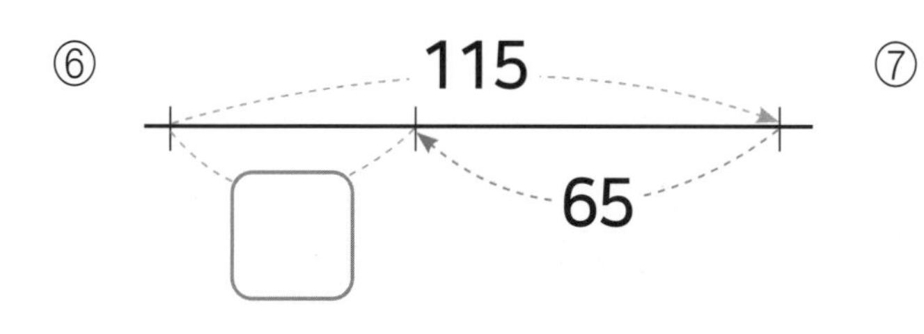

⑦ 158, 89, □

⑧
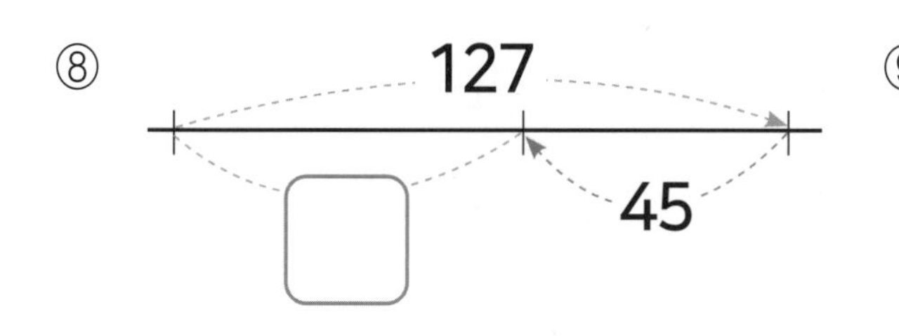

⑨
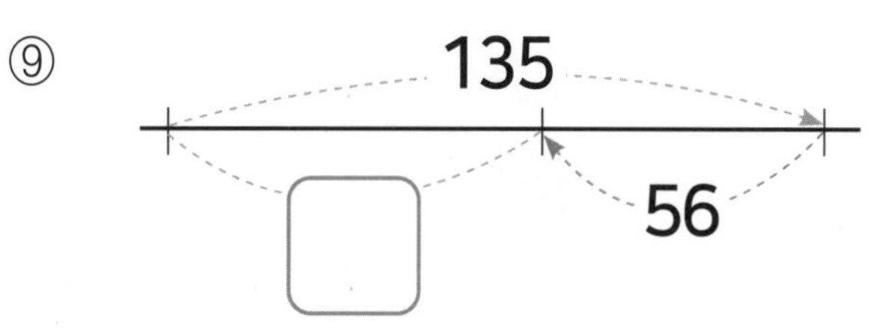

연산 퍼즐

공부한 날! 월 일

과녁판에 다트가 꽂힌 자리를 보고 점수를 구해 보세요.

①

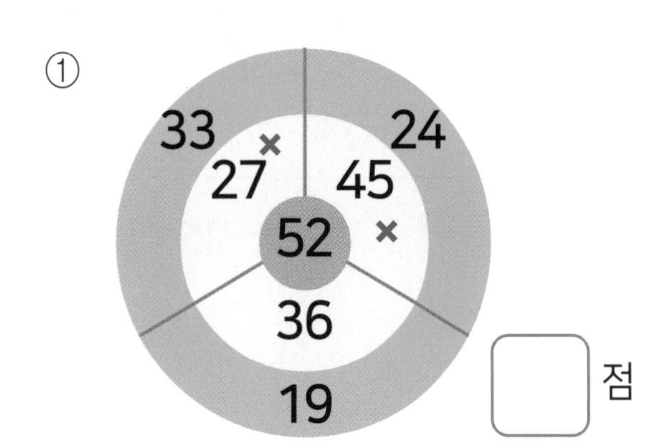

☐ 점

②

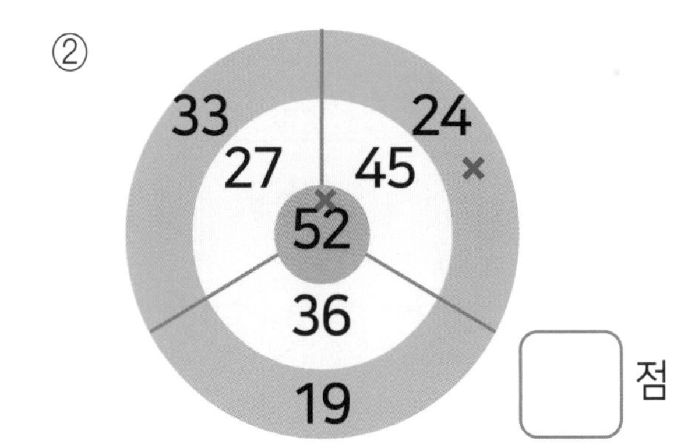

☐ 점

③

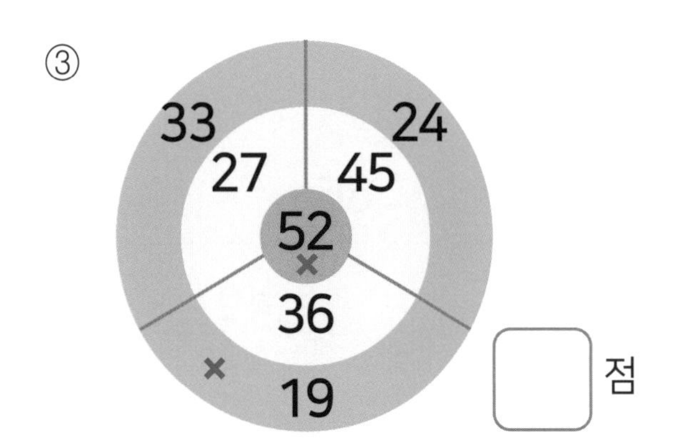

☐ 점

④

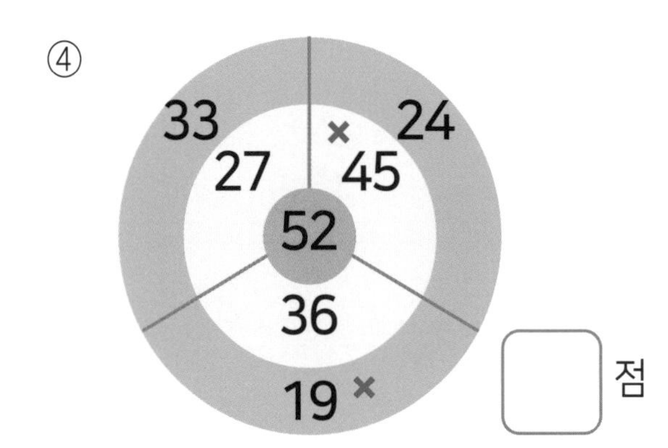

☐ 점

⑤

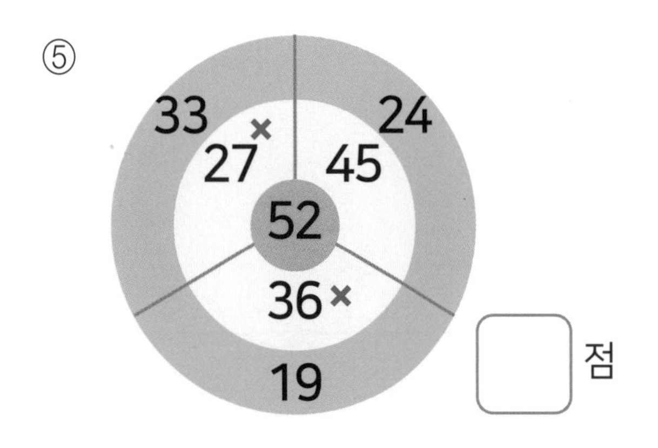

☐ 점

⑥

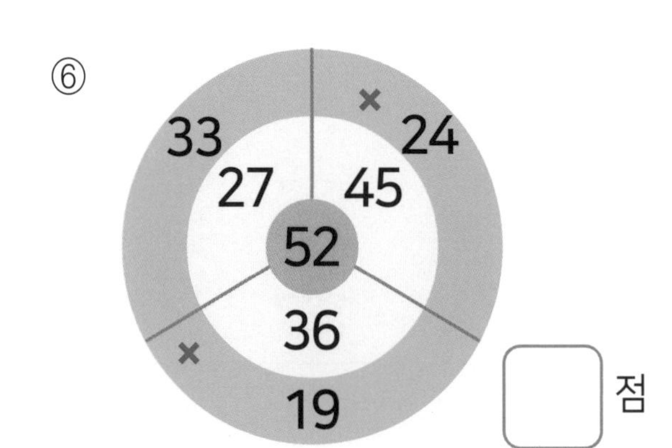

☐ 점

연두색은 점수를 더하고, 파란색은 점수를 빼기로 하고 다트 게임을 하였습니다. 점수를 구해 보세요.

①

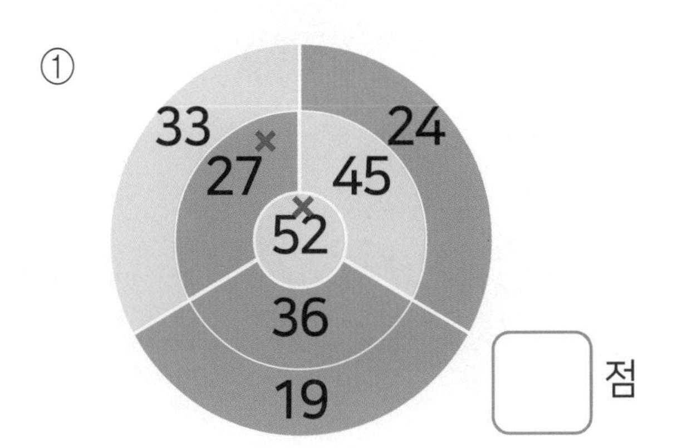

②

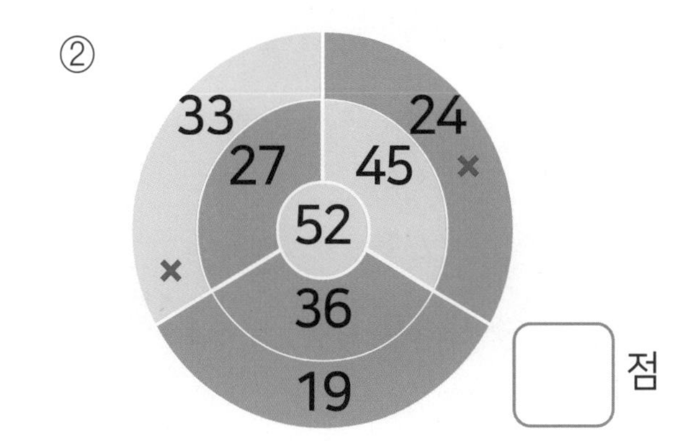

③

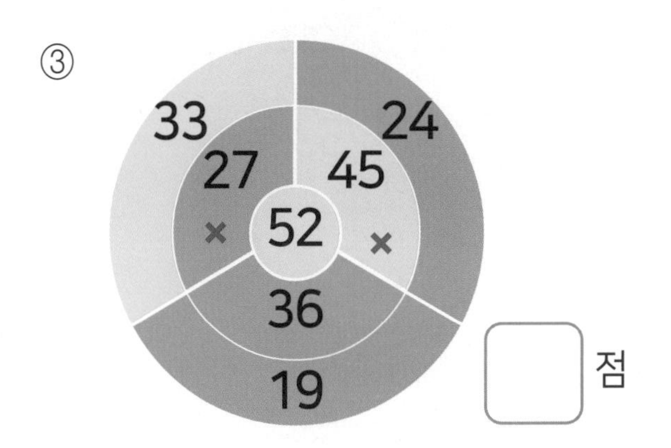

④

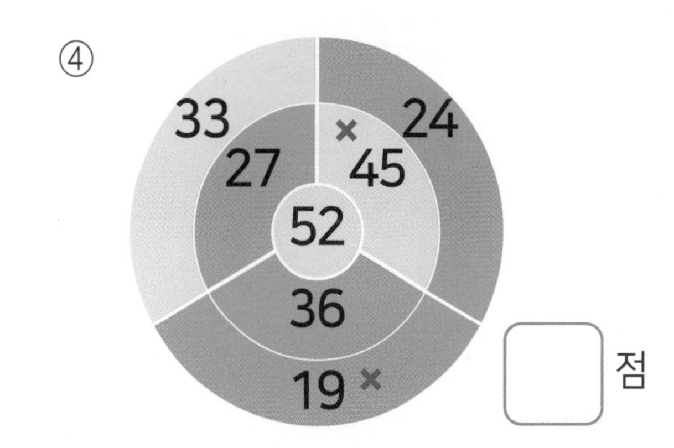

⑤

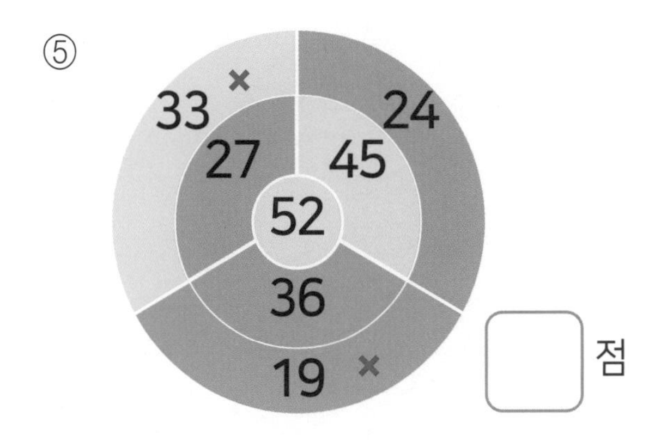

⑥

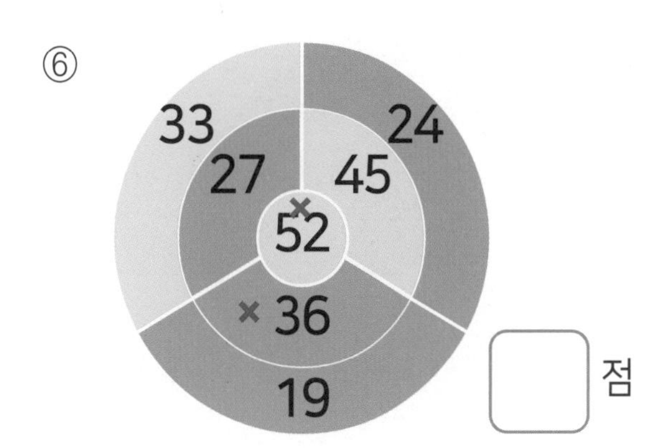

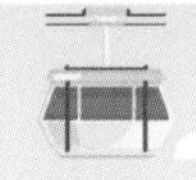

다트 2개를 던져 얻은 점수를 보고 다트가 꽂힌 자리에 X표 하세요.

①

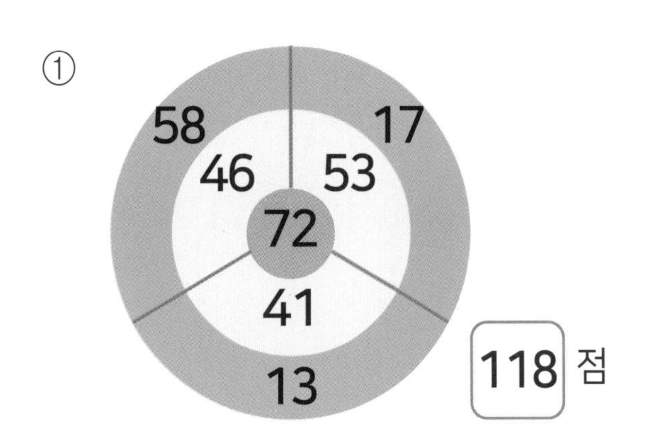

②

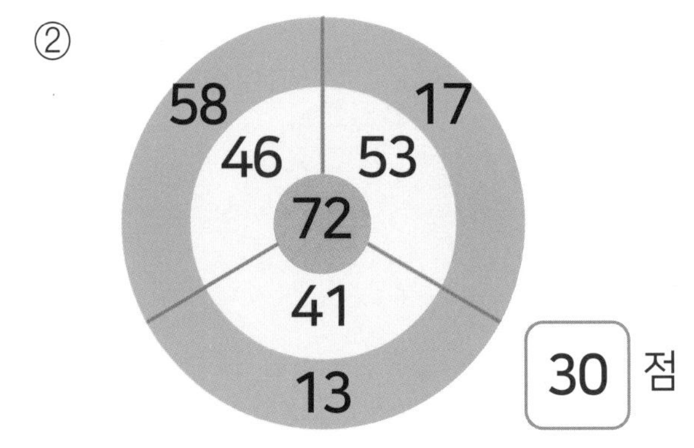

③

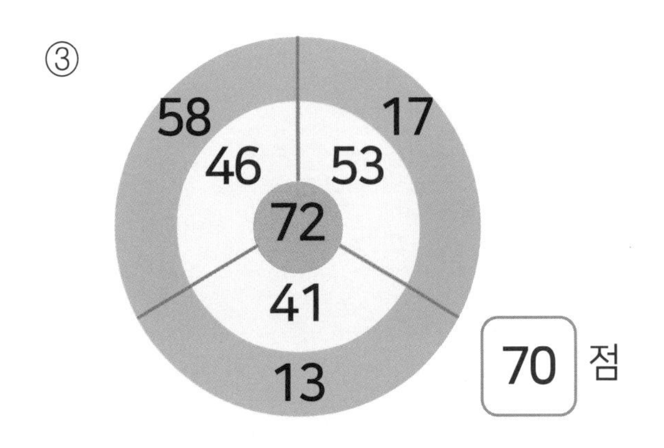

④

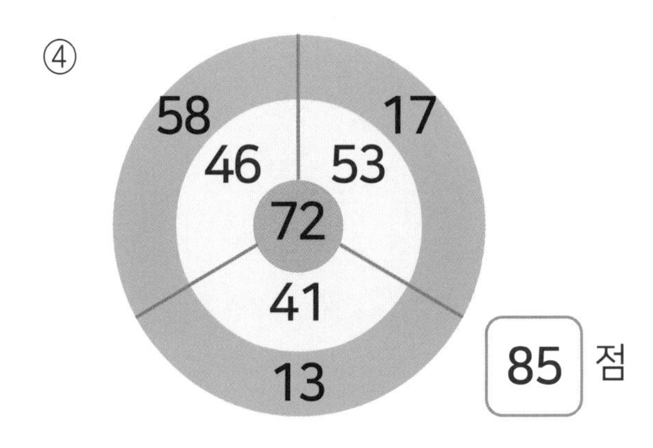

⑤

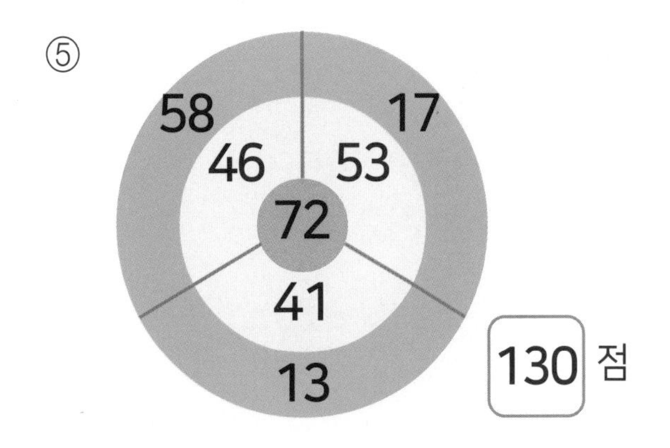

⑥

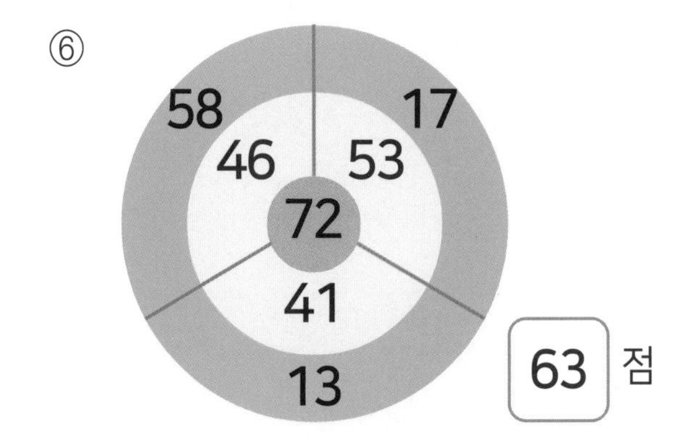

6주차

도전! 계산왕

두 자리 수 뺄셈

계산해 보세요.

① $\begin{array}{r} 62 \\ -\ 28 \\ \hline \end{array}$	② $\begin{array}{r} 64 \\ -\ 36 \\ \hline \end{array}$	③ $\begin{array}{r} 91 \\ -\ 83 \\ \hline \end{array}$	④ $\begin{array}{r} 26 \\ -\ 18 \\ \hline \end{array}$
⑤ $\begin{array}{r} 22 \\ -\ 15 \\ \hline \end{array}$	⑥ $\begin{array}{r} 111 \\ -\ 88 \\ \hline \end{array}$	⑦ $\begin{array}{r} 40 \\ -\ 15 \\ \hline \end{array}$	⑧ $\begin{array}{r} 134 \\ -\ 55 \\ \hline \end{array}$
⑨ $\begin{array}{r} 120 \\ -\ 68 \\ \hline \end{array}$	⑩ $\begin{array}{r} 71 \\ -\ 57 \\ \hline \end{array}$	⑪ $\begin{array}{r} 105 \\ -\ 87 \\ \hline \end{array}$	⑫ $\begin{array}{r} 157 \\ -\ 97 \\ \hline \end{array}$
⑬ $\begin{array}{r} 158 \\ -\ 68 \\ \hline \end{array}$	⑭ $\begin{array}{r} 72 \\ -\ 27 \\ \hline \end{array}$	⑮ $\begin{array}{r} 103 \\ -\ 39 \\ \hline \end{array}$	⑯ $\begin{array}{r} 22 \\ -\ 14 \\ \hline \end{array}$
⑰ $\begin{array}{r} 109 \\ -\ 55 \\ \hline \end{array}$	⑱ $\begin{array}{r} 90 \\ -\ 52 \\ \hline \end{array}$	⑲ $\begin{array}{r} 151 \\ -\ 97 \\ \hline \end{array}$	⑳ $\begin{array}{r} 179 \\ -\ 84 \\ \hline \end{array}$

1일 ❷

두 자리 수 뺄셈

공부한 날	월 일
점수	/20

계산해 보세요.

① $\begin{array}{r} 23 \\ -\ 18 \\ \hline \end{array}$

② $\begin{array}{r} 71 \\ -\ 33 \\ \hline \end{array}$

③ $\begin{array}{r} 51 \\ -\ 14 \\ \hline \end{array}$

④ $\begin{array}{r} 108 \\ -\ 88 \\ \hline \end{array}$

⑤ $\begin{array}{r} 80 \\ -\ 33 \\ \hline \end{array}$

⑥ $\begin{array}{r} 111 \\ -\ 75 \\ \hline \end{array}$

⑦ $\begin{array}{r} 44 \\ -\ 35 \\ \hline \end{array}$

⑧ $\begin{array}{r} 26 \\ -\ 18 \\ \hline \end{array}$

⑨ $\begin{array}{r} 179 \\ -\ 96 \\ \hline \end{array}$

⑩ $\begin{array}{r} 70 \\ -\ 61 \\ \hline \end{array}$

⑪ $\begin{array}{r} 156 \\ -\ 67 \\ \hline \end{array}$

⑫ $\begin{array}{r} 126 \\ -\ 97 \\ \hline \end{array}$

⑬ $\begin{array}{r} 43 \\ -\ 18 \\ \hline \end{array}$

⑭ $\begin{array}{r} 58 \\ -\ 19 \\ \hline \end{array}$

⑮ $\begin{array}{r} 66 \\ -\ 57 \\ \hline \end{array}$

⑯ $\begin{array}{r} 77 \\ -\ 68 \\ \hline \end{array}$

⑰ $\begin{array}{r} 68 \\ -\ 39 \\ \hline \end{array}$

⑱ $\begin{array}{r} 131 \\ -\ 76 \\ \hline \end{array}$

⑲ $\begin{array}{r} 65 \\ -\ 19 \\ \hline \end{array}$

⑳ $\begin{array}{r} 126 \\ -\ 69 \\ \hline \end{array}$

두 자리 수 뺄셈

공부한 날	월 일
점수	/ 20

계산해 보세요.

① $81 - 55$

② $65 - 38$

③ $68 - 19$

④ $26 - 19$

⑤ $145 - 71$

⑥ $186 - 97$

⑦ $28 - 19$

⑧ $146 - 94$

⑨ $51 - 14$

⑩ $58 - 19$

⑪ $168 - 83$

⑫ $110 - 41$

⑬ $74 - 67$

⑭ $75 - 68$

⑮ $101 - 64$

⑯ $52 - 29$

⑰ $98 - 59$

⑱ $34 - 25$

⑲ $155 - 78$

⑳ $166 - 84$

두 자리 수 뺄셈

공부한 날	월 일
점수	/20

계산해 보세요.

① $\begin{array}{r} 27 \\ -\ 18 \\ \hline \end{array}$

② $\begin{array}{r} 37 \\ -\ 18 \\ \hline \end{array}$

③ $\begin{array}{r} 171 \\ -\ 85 \\ \hline \end{array}$

④ $\begin{array}{r} 115 \\ -\ 75 \\ \hline \end{array}$

⑤ $\begin{array}{r} 45 \\ -\ 29 \\ \hline \end{array}$

⑥ $\begin{array}{r} 188 \\ -\ 91 \\ \hline \end{array}$

⑦ $\begin{array}{r} 189 \\ -\ 93 \\ \hline \end{array}$

⑧ $\begin{array}{r} 126 \\ -\ 65 \\ \hline \end{array}$

⑨ $\begin{array}{r} 158 \\ -\ 63 \\ \hline \end{array}$

⑩ $\begin{array}{r} 74 \\ -\ 36 \\ \hline \end{array}$

⑪ $\begin{array}{r} 20 \\ -\ 19 \\ \hline \end{array}$

⑫ $\begin{array}{r} 98 \\ -\ 49 \\ \hline \end{array}$

⑬ $\begin{array}{r} 40 \\ -\ 28 \\ \hline \end{array}$

⑭ $\begin{array}{r} 95 \\ -\ 77 \\ \hline \end{array}$

⑮ $\begin{array}{r} 28 \\ -\ 19 \\ \hline \end{array}$

⑯ $\begin{array}{r} 186 \\ -\ 90 \\ \hline \end{array}$

⑰ $\begin{array}{r} 108 \\ -\ 76 \\ \hline \end{array}$

⑱ $\begin{array}{r} 98 \\ -\ 29 \\ \hline \end{array}$

⑲ $\begin{array}{r} 152 \\ -\ 72 \\ \hline \end{array}$

⑳ $\begin{array}{r} 114 \\ -\ 64 \\ \hline \end{array}$

두 자리 수 뺄셈

공부한 날	월 일
점수	/ 20

계산해 보세요.

① $124 - 33$

② $66 - 49$

③ $91 - 28$

④ $171 - 96$

⑤ $47 - 28$

⑥ $56 - 47$

⑦ $135 - 79$

⑧ $31 - 15$

⑨ $125 - 76$

⑩ $88 - 49$

⑪ $31 - 27$

⑫ $36 - 17$

⑬ $185 - 91$

⑭ $24 - 19$

⑮ $123 - 66$

⑯ $157 - 96$

⑰ $179 - 80$

⑱ $138 - 63$

⑲ $174 - 96$

⑳ $184 - 90$

두 자리 수 뺄셈

공부한 날	월 일
점수	/20

계산해 보세요.

① $\begin{array}{r} 157 \\ -\ 94 \\ \hline \end{array}$

② $\begin{array}{r} 25 \\ -\ 18 \\ \hline \end{array}$

③ $\begin{array}{r} 46 \\ -\ 28 \\ \hline \end{array}$

④ $\begin{array}{r} 61 \\ -\ 32 \\ \hline \end{array}$

⑤ $\begin{array}{r} 104 \\ -\ 77 \\ \hline \end{array}$

⑥ $\begin{array}{r} 61 \\ -\ 29 \\ \hline \end{array}$

⑦ $\begin{array}{r} 137 \\ -\ 72 \\ \hline \end{array}$

⑧ $\begin{array}{r} 81 \\ -\ 35 \\ \hline \end{array}$

⑨ $\begin{array}{r} 116 \\ -\ 46 \\ \hline \end{array}$

⑩ $\begin{array}{r} 84 \\ -\ 66 \\ \hline \end{array}$

⑪ $\begin{array}{r} 85 \\ -\ 47 \\ \hline \end{array}$

⑫ $\begin{array}{r} 168 \\ -\ 76 \\ \hline \end{array}$

⑬ $\begin{array}{r} 68 \\ -\ 39 \\ \hline \end{array}$

⑭ $\begin{array}{r} 72 \\ -\ 18 \\ \hline \end{array}$

⑮ $\begin{array}{r} 164 \\ -\ 82 \\ \hline \end{array}$

⑯ $\begin{array}{r} 71 \\ -\ 66 \\ \hline \end{array}$

⑰ $\begin{array}{r} 168 \\ -\ 70 \\ \hline \end{array}$

⑱ $\begin{array}{r} 85 \\ -\ 78 \\ \hline \end{array}$

⑲ $\begin{array}{r} 75 \\ -\ 28 \\ \hline \end{array}$

⑳ $\begin{array}{r} 46 \\ -\ 37 \\ \hline \end{array}$

두 자리 수 뺄셈

계산해 보세요.

① $\begin{array}{r} 66 \\ -\ 38 \\ \hline \end{array}$

② $\begin{array}{r} 149 \\ -\ 69 \\ \hline \end{array}$

③ $\begin{array}{r} 188 \\ -\ 97 \\ \hline \end{array}$

④ $\begin{array}{r} 174 \\ -\ 85 \\ \hline \end{array}$

⑤ $\begin{array}{r} 92 \\ -\ 58 \\ \hline \end{array}$

⑥ $\begin{array}{r} 61 \\ -\ 49 \\ \hline \end{array}$

⑦ $\begin{array}{r} 139 \\ -\ 70 \\ \hline \end{array}$

⑧ $\begin{array}{r} 47 \\ -\ 38 \\ \hline \end{array}$

⑨ $\begin{array}{r} 20 \\ -\ 16 \\ \hline \end{array}$

⑩ $\begin{array}{r} 146 \\ -\ 76 \\ \hline \end{array}$

⑪ $\begin{array}{r} 162 \\ -\ 74 \\ \hline \end{array}$

⑫ $\begin{array}{r} 42 \\ -\ 26 \\ \hline \end{array}$

⑬ $\begin{array}{r} 140 \\ -\ 54 \\ \hline \end{array}$

⑭ $\begin{array}{r} 129 \\ -\ 73 \\ \hline \end{array}$

⑮ $\begin{array}{r} 179 \\ -\ 95 \\ \hline \end{array}$

⑯ $\begin{array}{r} 124 \\ -\ 38 \\ \hline \end{array}$

⑰ $\begin{array}{r} 123 \\ -\ 99 \\ \hline \end{array}$

⑱ $\begin{array}{r} 70 \\ -\ 69 \\ \hline \end{array}$

⑲ $\begin{array}{r} 109 \\ -\ 38 \\ \hline \end{array}$

⑳ $\begin{array}{r} 85 \\ -\ 29 \\ \hline \end{array}$

두 자리 수 뺄셈

공부한 날	월 일
점수	/20

계산해 보세요.

① $\begin{array}{r} 25 \\ -\ 18 \\ \hline \end{array}$

② $\begin{array}{r} 46 \\ -\ 28 \\ \hline \end{array}$

③ $\begin{array}{r} 61 \\ -\ 32 \\ \hline \end{array}$

④ $\begin{array}{r} 66 \\ -\ 29 \\ \hline \end{array}$

⑤ $\begin{array}{r} 81 \\ -\ 35 \\ \hline \end{array}$

⑥ $\begin{array}{r} 157 \\ -\ 18 \\ \hline \end{array}$

⑦ $\begin{array}{r} 84 \\ -\ 77 \\ \hline \end{array}$

⑧ $\begin{array}{r} 104 \\ -\ 75 \\ \hline \end{array}$

⑨ $\begin{array}{r} 137 \\ -\ 72 \\ \hline \end{array}$

⑩ $\begin{array}{r} 81 \\ -\ 37 \\ \hline \end{array}$

⑪ $\begin{array}{r} 116 \\ -\ 56 \\ \hline \end{array}$

⑫ $\begin{array}{r} 125 \\ -\ 87 \\ \hline \end{array}$

⑬ $\begin{array}{r} 112 \\ -\ 33 \\ \hline \end{array}$

⑭ $\begin{array}{r} 165 \\ -\ 83 \\ \hline \end{array}$

⑮ $\begin{array}{r} 31 \\ -\ 15 \\ \hline \end{array}$

⑯ $\begin{array}{r} 112 \\ -\ 48 \\ \hline \end{array}$

⑰ $\begin{array}{r} 86 \\ -\ 38 \\ \hline \end{array}$

⑱ $\begin{array}{r} 62 \\ -\ 58 \\ \hline \end{array}$

⑲ $\begin{array}{r} 144 \\ -\ 88 \\ \hline \end{array}$

⑳ $\begin{array}{r} 153 \\ -\ 83 \\ \hline \end{array}$

두 자리 수 뺄셈

공부한 날 월 일
점수 /20

계산해 보세요.

① $\begin{array}{r} 133 \\ -\ \ 99 \\ \hline \end{array}$

② $\begin{array}{r} 144 \\ -\ \ 57 \\ \hline \end{array}$

③ $\begin{array}{r} 122 \\ -\ \ 31 \\ \hline \end{array}$

④ $\begin{array}{r} 75 \\ -\ 47 \\ \hline \end{array}$

⑤ $\begin{array}{r} 46 \\ -\ 28 \\ \hline \end{array}$

⑥ $\begin{array}{r} 46 \\ -\ 19 \\ \hline \end{array}$

⑦ $\begin{array}{r} 115 \\ -\ \ 42 \\ \hline \end{array}$

⑧ $\begin{array}{r} 162 \\ -\ \ 89 \\ \hline \end{array}$

⑨ $\begin{array}{r} 151 \\ -\ \ 98 \\ \hline \end{array}$

⑩ $\begin{array}{r} 105 \\ -\ \ 23 \\ \hline \end{array}$

⑪ $\begin{array}{r} 176 \\ -\ \ 80 \\ \hline \end{array}$

⑫ $\begin{array}{r} 96 \\ -\ 58 \\ \hline \end{array}$

⑬ $\begin{array}{r} 137 \\ -\ \ 59 \\ \hline \end{array}$

⑭ $\begin{array}{r} 41 \\ -\ 36 \\ \hline \end{array}$

⑮ $\begin{array}{r} 43 \\ -\ 37 \\ \hline \end{array}$

⑯ $\begin{array}{r} 139 \\ -\ \ 73 \\ \hline \end{array}$

⑰ $\begin{array}{r} 141 \\ -\ \ 73 \\ \hline \end{array}$

⑱ $\begin{array}{r} 52 \\ -\ 28 \\ \hline \end{array}$

⑲ $\begin{array}{r} 127 \\ -\ \ 65 \\ \hline \end{array}$

⑳ $\begin{array}{r} 65 \\ -\ 28 \\ \hline \end{array}$

두 자리 수 뺄셈

공부한 날	월 일
점수	/20

계산해 보세요.

① $\begin{array}{r} 189 \\ -\ 99 \\ \hline \end{array}$

② $\begin{array}{r} 34 \\ -\ 19 \\ \hline \end{array}$

③ $\begin{array}{r} 46 \\ -\ 27 \\ \hline \end{array}$

④ $\begin{array}{r} 50 \\ -\ 26 \\ \hline \end{array}$

⑤ $\begin{array}{r} 183 \\ -\ 93 \\ \hline \end{array}$

⑥ $\begin{array}{r} 61 \\ -\ 55 \\ \hline \end{array}$

⑦ $\begin{array}{r} 116 \\ -\ 75 \\ \hline \end{array}$

⑧ $\begin{array}{r} 165 \\ -\ 72 \\ \hline \end{array}$

⑨ $\begin{array}{r} 121 \\ -\ 82 \\ \hline \end{array}$

⑩ $\begin{array}{r} 67 \\ -\ 29 \\ \hline \end{array}$

⑪ $\begin{array}{r} 84 \\ -\ 78 \\ \hline \end{array}$

⑫ $\begin{array}{r} 73 \\ -\ 18 \\ \hline \end{array}$

⑬ $\begin{array}{r} 96 \\ -\ 28 \\ \hline \end{array}$

⑭ $\begin{array}{r} 77 \\ -\ 48 \\ \hline \end{array}$

⑮ $\begin{array}{r} 158 \\ -\ 62 \\ \hline \end{array}$

⑯ $\begin{array}{r} 32 \\ -\ 17 \\ \hline \end{array}$

⑰ $\begin{array}{r} 173 \\ -\ 93 \\ \hline \end{array}$

⑱ $\begin{array}{r} 143 \\ -\ 66 \\ \hline \end{array}$

⑲ $\begin{array}{r} 93 \\ -\ 16 \\ \hline \end{array}$

⑳ $\begin{array}{r} 137 \\ -\ 99 \\ \hline \end{array}$

MEMO

11 세로셈으로 계산하세요.

① $\begin{array}{r} 154 \\ -\ \ 88 \\ \hline \end{array}$　　② $\begin{array}{r} 172 \\ -\ \ 97 \\ \hline \end{array}$

12 세로셈으로 계산하세요.

① $\begin{array}{r} 134 \\ -\ \ 67 \\ \hline \end{array}$　　② $\begin{array}{r} 158 \\ -\ \ 69 \\ \hline \end{array}$

13 세로셈으로 계산하세요.

① $\begin{array}{r} 123 \\ -\ \ 76 \\ \hline \end{array}$　　② $\begin{array}{r} 104 \\ -\ \ 35 \\ \hline \end{array}$

14 잘못 계산한 것을 찾아 바르게 고쳐 보세요.

$\begin{array}{r} 151 \\ -\ \ 88 \\ \hline 63 \end{array}$　　$\begin{array}{r} 126 \\ -\ \ 58 \\ \hline 78 \end{array}$　　$\begin{array}{r} 106 \\ -\ \ 59 \\ \hline 47 \end{array}$

15 잘못 계산한 것을 찾아 바르게 고쳐 보세요.

$\begin{array}{r} 132 \\ -\ \ 87 \\ \hline 45 \end{array}$　　$\begin{array}{r} 118 \\ -\ \ 69 \\ \hline 49 \end{array}$　　$\begin{array}{r} 142 \\ -\ \ 76 \\ \hline 76 \end{array}$

16 빈칸에 알맞은 수를 써넣으세요.

①
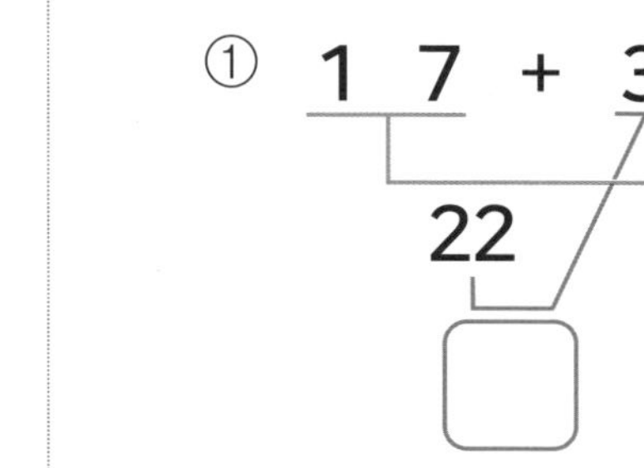

②
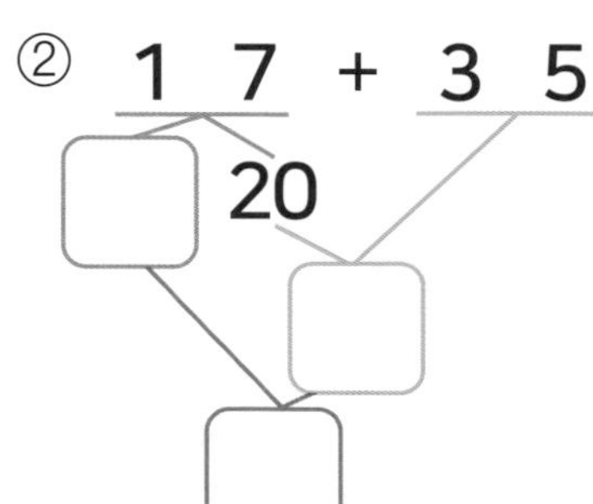

17 빈칸에 알맞은 수를 써넣으세요.

① 6 7 - 3 8

59

②
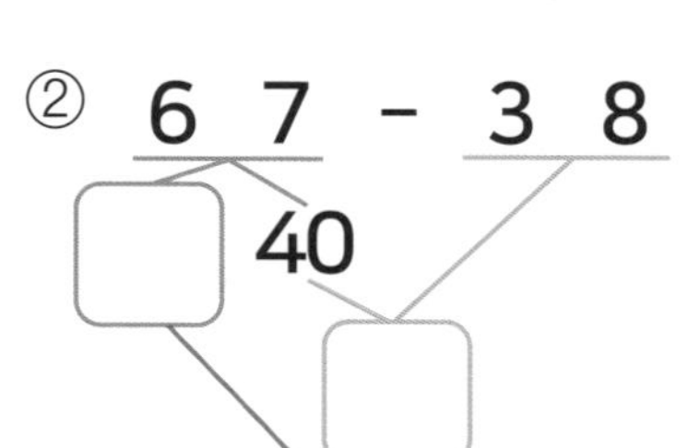

18 빈칸에 알맞은 수를 써넣으세요.

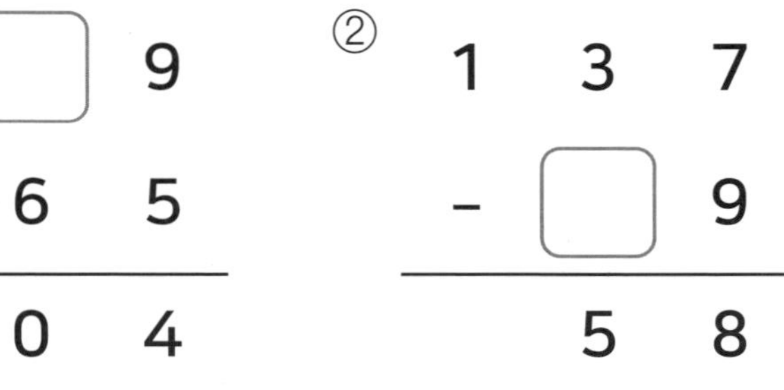

① $\begin{array}{r} \square\ 9 \\ +\ 6\ 5 \\ \hline 1\ 0\ 4 \end{array}$　　② $\begin{array}{r} 1\ 3\ 7 \\ -\ \square\ 9 \\ \hline 5\ 8 \end{array}$

19 빈칸에 알맞은 수를 써넣으세요.

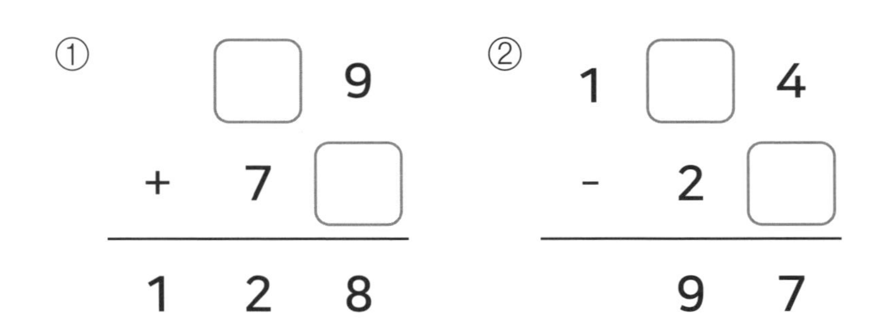

① $\begin{array}{r} \square\ 9 \\ +\ 7\ \square \\ \hline 1\ 2\ 8 \end{array}$　　② $\begin{array}{r} 1\ \square\ 4 \\ -\ 2\ \square \\ \hline 9\ 7 \end{array}$

20 다트 2개를 던져 얻은 점수를 보고 다트가 꽂힌 자리에 X표 하세요.

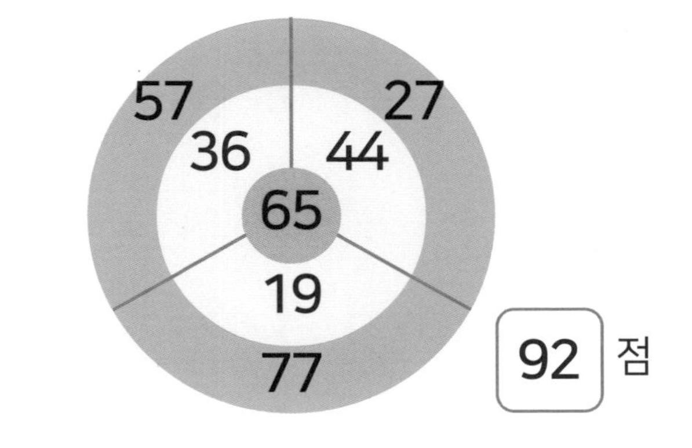

총괄 테스트

이름 점수

01 빈칸에 알맞은 수를 써넣으세요.

8 3 - 4 5

02 빈칸에 알맞은 수를 써넣으세요.

5 7 - 3 9

03 빈칸에 알맞은 수를 써넣으세요.

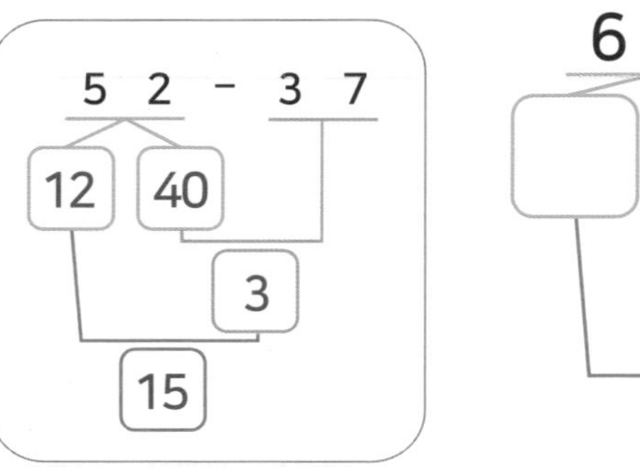

04 빈칸에 알맞은 수를 써넣으세요.

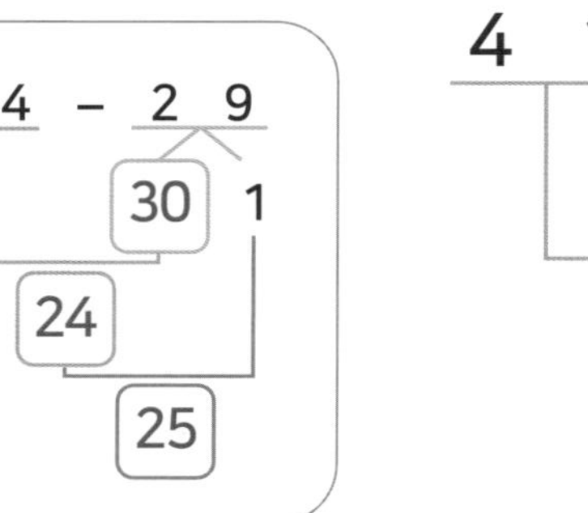
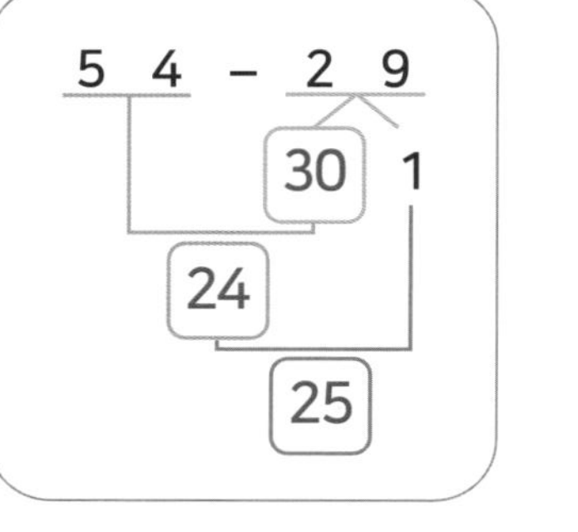

4 1 - 1 8

2

05 계산해 보세요.

① 41 - 24 =

② 68 - 39 =

③ 94 - 65 =

④ 51 - 35 =

06 세로셈으로 계산하세요.

①
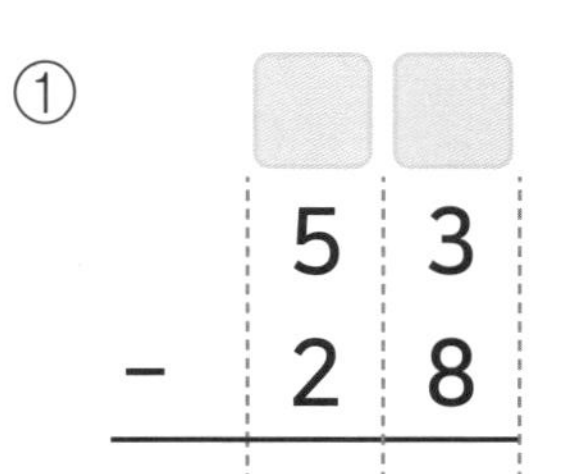

②
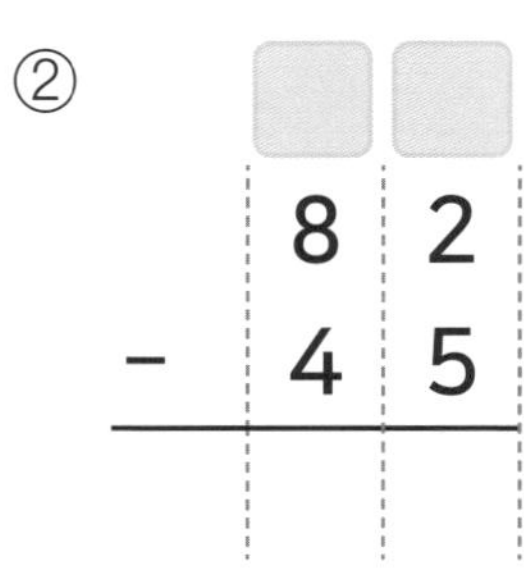

07 세로셈으로 계산하세요.

①
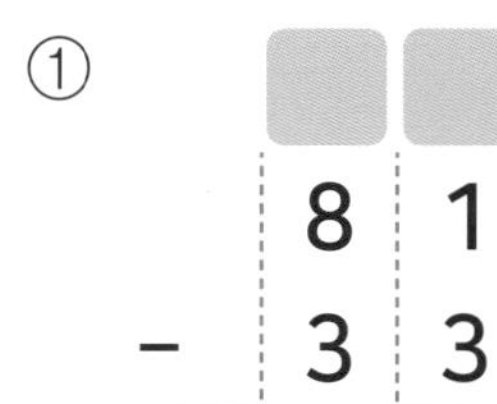

②
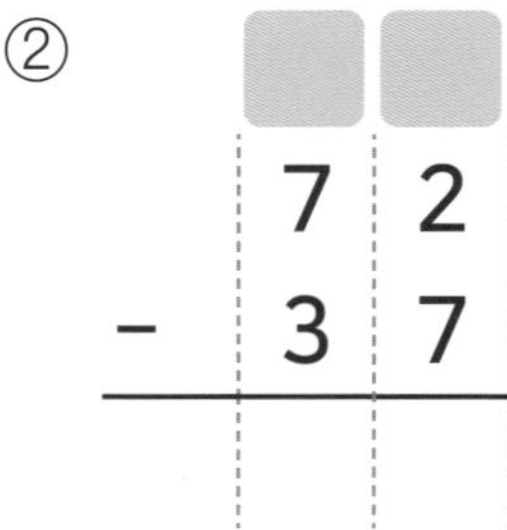

08 세로셈으로 계산하세요.

①
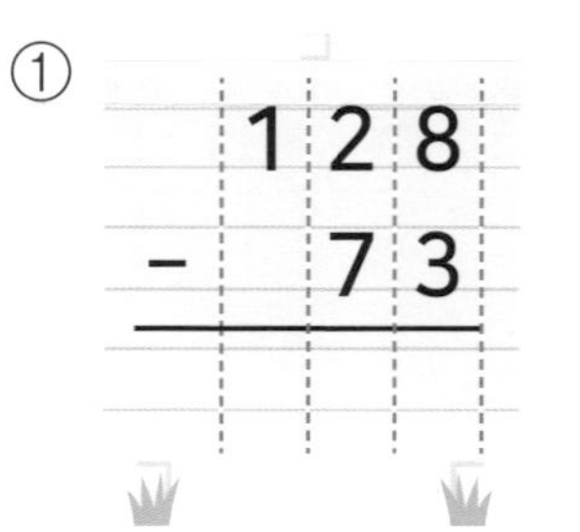

②
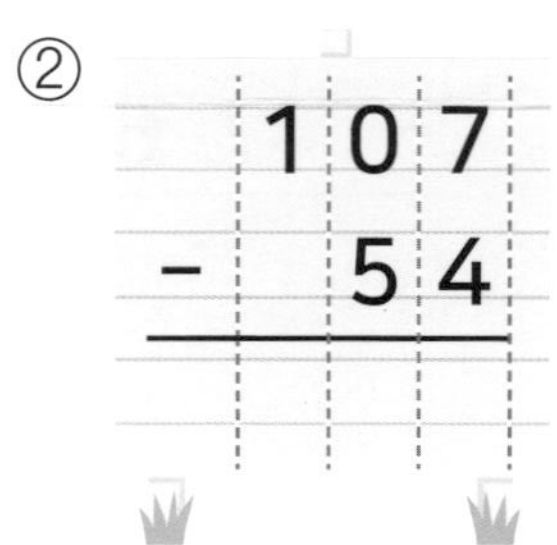

09 세로셈으로 계산하세요.

①

$$\begin{array}{r} 84 \\ -\ 37 \\ \hline \end{array}$$

②

$$\begin{array}{r} 127 \\ -\ 35 \\ \hline \end{array}$$

10 민지네 할아버지는 76살이고 아버지는 할아버지보다 39살이 적습니다. 아버지의 나이는 몇 살일까요?

식 : ____________

답 : ______ 살

 1000math.com 

홈페이지

· 천종현수학연구소 소개 및 학습 자료 공유
· 출판 교재, 연구소 굿즈 구입

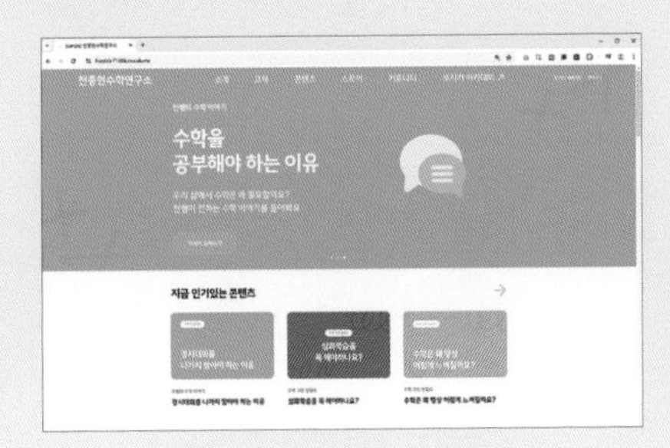

 cafe.naver.com/maths1000 

네이버카페

· 다양한 이벤트 및 '천쌤수학학습단' 진행
· 학습 상담 게시판 운영

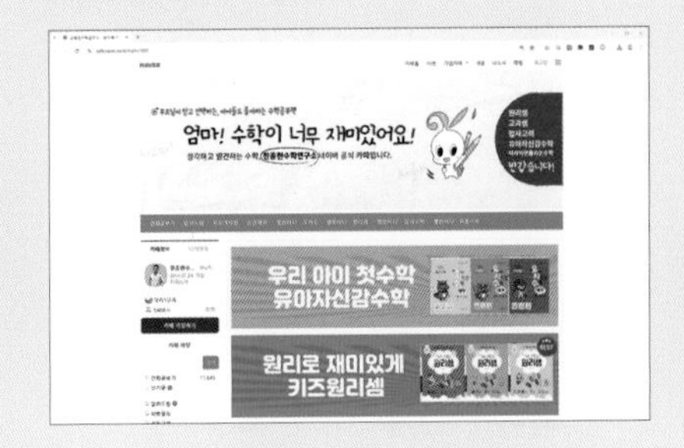

 https://www.instagram.com/
1000maths 

인스타그램

· 수학고민상담소 '천쌤에게 물어보셈' 릴스 보기
· 가장 빠르게 만나는 연구소 소식 및 이벤트

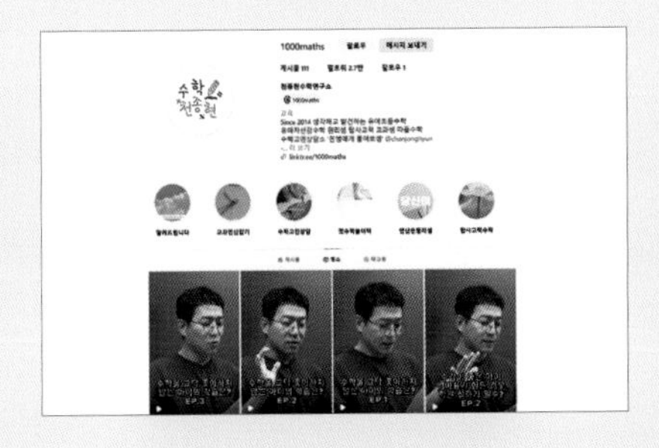

 https://www.youtube.com/
@1000math4U 

유튜브

· 인스타 라이브방송 '천쌤에게 물어보셈' 다시 보기
· 고민 상담 사례 및 수학교육 기획 콘텐츠

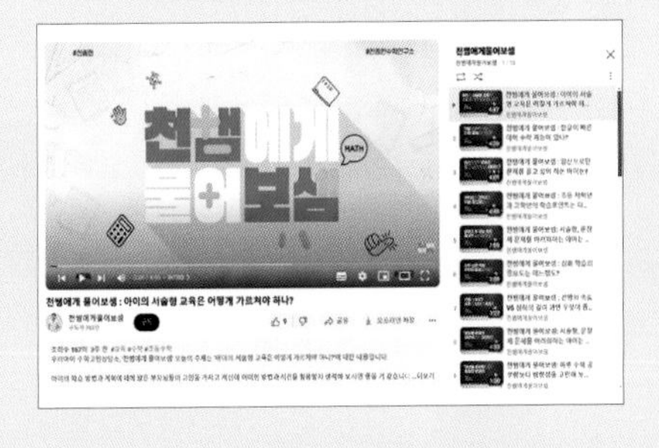

천종현수학연구소는

유아 초등 수학 교재와 **콘텐츠**를 꾸준히 **개발**하고 있습니다. 네이버에 **'천종현수학연구소'**를 검색하시거나 **인스타그램**, **유튜브** 등 다양한 채널을 통해서도 **연산**과 **사고력 수학**, **교과 심화 학습**에 대한 **노하우**와 **정보**를 다양하게 제공합니다. 지금 바로 만나보세요.

SINCE **2014**

천종현수학연구소 출판 교재

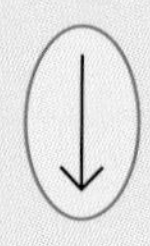

01
유아 자신감 수학
썼다 지웠다 붙였다 뗐다
우리 아이의 첫 수학 교재

02
TOP 사고력 수학
실력도 탑! 재미도 탑!
사고력 수학의 으뜸

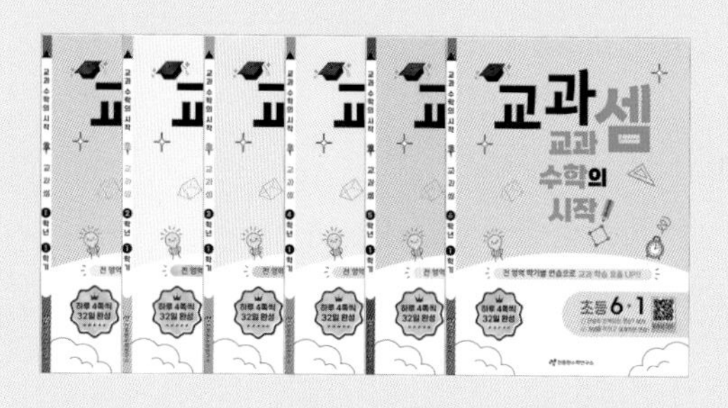

03
교과셈
사칙연산+도형, 측정, 경우의 수까지
반복 학습이 필요한 초등 연산 완성

04
따풀 수학
다양한 개념과 해결 방법을 배우는
배움이 있는 학습지

05
초등 사고력 수학의 원리/전략
진정한 수학 실력은 원리의 이해와 문제 해결 전략에서
재미있게 읽는 17년 초등 사고력 수학의 노하우!!

교과 과정
완벽 대비
★★★★★

초등 | 수학 전문가가 만든 연산 교재

원리셈

천종현 지음

정답

2학년 2

두 자리 수 뺄셈

천종현수학연구소

1주차 - 두 자리 수 뺄셈의 원리

10쪽

① 52
48

② 36
33

③ 54
47

④ 33
28

⑤ 53
51

11쪽

① 23
16

② 28
20

③ 41
32

④ 36
27

⑤ 34
28

⑥ 32
29

12쪽

① 27

② 48 ③ 16

④ 27 ⑤ 35

⑥ 31 ⑦ 53

⑧ 18 ⑨ 25

⑩ 28 ⑪ 20

⑫ 6 ⑬ 29

⑭ 9 ⑮ 56

13쪽

① 38
18

② 48
38

③ 72
42

④ 79
19

⑤ 70
30

14쪽

① 88
38

② 74
34

③ 76
56

④ 26
16

⑤ 53
13

⑥ 37
17

15쪽

① 27

② 20 ③ 45

④ 35 ⑤ 63

⑥ 22 ⑦ 16

⑧ 17 ⑨ 18

⑩ 55 ⑪ 14

⑫ 28 ⑬ 38

⑭ 27 ⑮ 39

16쪽

① 42, 40
2
44

② 11, 20
1
12

③ 25, 30
1
26

④ 35, 60
3
38

⑤ 13, 30
2
15

17쪽

① 44, 40
1
45

② 21, 20
3
24

③ 36, 60
1
37

④ 23, 50
2
25

⑤ 25, 70
2
27

⑥ 21, 30
1
22

18쪽

① 56

② 34 ③ 29

④ 25 ⑤ 57

⑥ 48 ⑦ 26

⑧ 45 ⑨ 43

⑩ 48 ⑪ 28

⑫ 67 ⑬ 34

⑭ 25 ⑮ 7

19쪽

① 30, 25, 27

② 40, 32, 35 ③ 50, 33, 34

④ 30, 46, 47 ⑤ 70, 22, 24

20쪽

① 30, 51, 53 ② 20, 25, 28

③ 50, 45, 47 ④ 60, 21, 22

⑤ 20, 33, 36 ⑥ 30, 36, 38

21쪽

① 44

② 43 ③ 38

④ 35 ⑤ 67

⑥ 18 ⑦ 27

⑧ 55 ⑨ 29

⑩ 72 ⑪ 47

⑫ 28 ⑬ 33

⑭ 26 ⑮ 27

22쪽

37	66	13
30	23	19
36	40	27

23쪽

26	32	17
21	29	20
16	37	37

24쪽

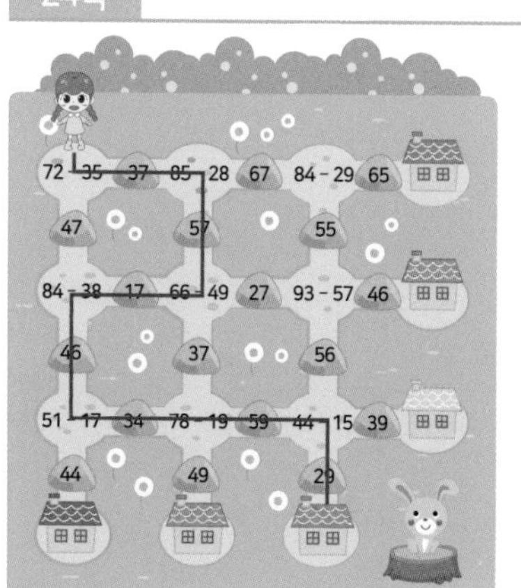

2주차 - 도전! 계산왕

26쪽

① 9 ② 14

③ 29 ④ 28

⑤ 43 ⑥ 49

⑦ 34 ⑧ 17

⑨ 18 ⑩ 38

⑪ 26 ⑫ 7

⑬ 27 ⑭ 8

⑮ 39 ⑯ 14

⑰ 29 ⑱ 8

⑲ 12 ⑳ 18

27쪽

① 35 ② 35

③ 28 ④ 39

⑤ 16 ⑥ 18

⑦ 18 ⑧ 25

⑨ 12 ⑩ 9

⑪ 16 ⑫ 8

⑬ 9 ⑭ 6

⑮ 19 ⑯ 9

⑰ 15 ⑱ 19

⑲ 4 ⑳ 26

28쪽

① 3 ② 5
③ 16 ④ 27
⑤ 17 ⑥ 14
⑦ 14 ⑧ 19
⑨ 18 ⑩ 29
⑪ 28 ⑫ 17
⑬ 49 ⑭ 36
⑮ 36 ⑯ 16
⑰ 57 ⑱ 29
⑲ 69 ⑳ 29

29쪽

① 19 ② 23
③ 29 ④ 19
⑤ 47 ⑥ 27
⑦ 23 ⑧ 38
⑨ 17 ⑩ 5
⑪ 6 ⑫ 15
⑬ 18 ⑭ 35
⑮ 14 ⑯ 16
⑰ 38 ⑱ 38
⑲ 14 ⑳ 17

30쪽

① 9 ② 46
③ 29 ④ 19
⑤ 28 ⑥ 27
⑦ 27 ⑧ 58
⑨ 19 ⑩ 22
⑪ 4 ⑫ 18
⑬ 38 ⑭ 19
⑮ 19 ⑯ 16
⑰ 18 ⑱ 18
⑲ 12 ⑳ 18

31쪽

① 28 ② 39
③ 28 ④ 18
⑤ 27 ⑥ 17
⑦ 37 ⑧ 13
⑨ 38 ⑩ 19
⑪ 26 ⑫ 33
⑬ 22 ⑭ 19
⑮ 19 ⑯ 15
⑰ 27 ⑱ 17
⑲ 37 ⑳ 25

32쪽

① 32 ② 19
③ 17 ④ 29
⑤ 18 ⑥ 36
⑦ 16 ⑧ 19
⑨ 18 ⑩ 29
⑪ 19 ⑫ 19
⑬ 29 ⑭ 14
⑮ 27 ⑯ 29
⑰ 28 ⑱ 18
⑲ 62 ⑳ 38

33쪽

① 19 ② 28
③ 19 ④ 17
⑤ 28 ⑥ 18
⑦ 14 ⑧ 17
⑨ 28 ⑩ 18
⑪ 39 ⑫ 25
⑬ 46 ⑭ 4
⑮ 36 ⑯ 18
⑰ 36 ⑱ 18
⑲ 18 ⑳ 19

34쪽

① 16 ② 27
③ 28 ④ 19
⑤ 69 ⑥ 6
⑦ 9 ⑧ 17
⑨ 18 ⑩ 19
⑪ 58 ⑫ 19
⑬ 29 ⑭ 39
⑮ 28 ⑯ 19
⑰ 19 ⑱ 18
⑲ 58 ⑳ 39

35쪽

① 63 ② 29
③ 19 ④ 17
⑤ 28 ⑥ 17
⑦ 15 ⑧ 17
⑨ 29 ⑩ 19
⑪ 19 ⑫ 24
⑬ 14 ⑭ 18
⑮ 18 ⑯ 18
⑰ 14 ⑱ 16
⑲ 78 ⑳ 19

3주차 - 받아내림 한 번 있는 뺄셈

38쪽

① 50, 14, 39
② 40, 12, 25
③ 20, 17, 18

39쪽

① 36, 30, 6
② 18, 10, 8 ③ 34, 30, 4
④ 19, 10, 9 ⑤ 47, 40, 7
⑥ 26, 20, 6 ⑦ 26, 20, 6

40쪽

① 9, 20, 29 ② 5, 20, 25
③ 5, 20, 25 ④ 9, 10, 19 ⑤ 4, 20, 24
⑥ 9, 20, 29 ⑦ 8, 30, 38 ⑧ 8, 30, 38

41쪽

① 140, 6, 62
② 150, 8, 97

42쪽

① 78, 70, 8
② 63, 60, 3 ③ 31, 30, 1
④ 91, 90, 1 ⑤ 64, 60, 4
⑥ 74, 70, 4 ⑦ 83, 80, 3

43쪽

① 1, 80, 81 ② 2, 90, 92 ③ 2, 80, 82
④ 1, 80, 81 ⑤ 6, 40, 46 ⑥ 1, 90, 91
⑦ 6, 50, 56 ⑧ 1, 50, 51 ⑨ 0, 70, 70

44쪽

① 3, 10, 25 ② 5, 10, 27 ③ 6, 10, 39
④ 7, 10, 48 ⑤ 6, 10, 35 ⑥ 5, 10, 45 ⑦ 5, 10, 38
⑧ 3, 10, 16 ⑨ 8, 10, 38 ⑩ 7, 10, 67 ⑪ 7, 10, 27

45쪽

① 45 ② 66 ③ 82
④ 61 ⑤ 54 ⑥ 70 ⑦ 83
⑧ 35 ⑨ 81 ⑩ 94 ⑪ 54

46쪽

① 47 ② 82 ③ 15
④ 36 ⑤ 34 ⑥ 77 ⑦ 50
⑧ 18 ⑨ 81 ⑩ 62 ⑪ 15
⑫ 24 ⑬ 27 ⑭ 45 ⑮ 40

47쪽
① 27 ② 62 ③ 47
④ 47 ⑤ 20 ⑥ 61 ⑦ 73

48쪽
① 43 ② 29 ③ 55 ④ 38
⑤ 46 ⑥ 77 ⑦ 74 ⑧ 29
⑨ 36 ⑩ 17 ⑪ 43 ⑫ 74

49쪽
① 81-65=16, 16

50쪽
① 125-52=73, 73
② 73-27=46, 46

51쪽
① 62-35=27, 27
② 63-38=25, 25
③ 38-19=19, 19

52쪽
① 114-92=22, 22
② 136-92=44, 44
③ 153-81=72, 72

4주차 - 받아내림 두 번 있는 뺄셈

54쪽
① 130, 16, 57
② 150, 11, 76

55쪽
① 78, 70, 8
② 44, 40, 4 ③ 56, 50, 6
④ 78, 70, 8 ⑤ 57, 50, 7
⑥ 76, 70, 6 ⑦ 68, 60, 8

56쪽
① 7, 50, 57 ② 7, 50, 57 ③ 2, 20, 22
④ 9, 60, 69 ⑤ 4, 60, 64 ⑥ 8, 80, 88
⑦ 9, 80, 89 ⑧ 7, 50, 57 ⑨ 3, 90, 93

57쪽
① 69 ② 73 ③ 49
④ 57 ⑤ 48 ⑥ 35 ⑦ 75
⑧ 63 ⑨ 76 ⑩ 79 ⑪ 84

58쪽
① 67 ② 79 ③ 74
④ 88 ⑤ 73 ⑥ 36 ⑦ 38
⑧ 27 ⑨ 57 ⑩ 75 ⑪ 88
⑫ 53 ⑬ 74 ⑭ 29 ⑮ 79

59쪽
① 104, 49 ② 66, 18
③ 54, 16 ④ 86, 39 ⑤ 65, 47

60쪽
① 58, 29 ② 87, 49 ③ 75, 28
④ 45, 28 ⑤ 53, 18 ⑥ 34, 17

61쪽
① 68 ② 95 ③ 63 ④ 49
⑤ 78 ⑥ 47 ⑦ 29 ⑧ 77
⑨ 86 ⑩ 45 ⑪ 64 ⑫ 47
⑬ 26 ⑭ 76 ⑮ 67 ⑯ 56

62쪽

115 − 68 = 47	153 − 87 = 66	144 − 95 = ~~59~~ 49	128 − 54 = 74
152 − 88 = ~~[crossed out]~~ 64	136 − 58 = 78	102 − 56 = 46	112 − 78 = 34
126 − 89 = 37	119 − 64 = 55	132 − 46 = ~~[crossed out]~~ 86	150 − 78 = 72
120 − 33 = 87	133 − 49 = 84	100 − 53 = 47	143 − 77 = ~~[crossed out]~~ 66

63쪽

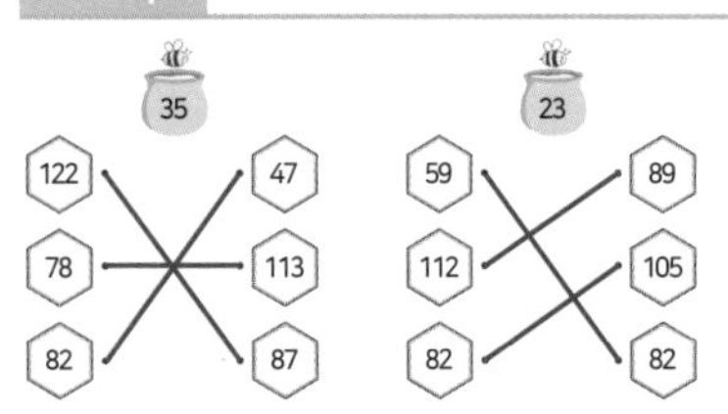

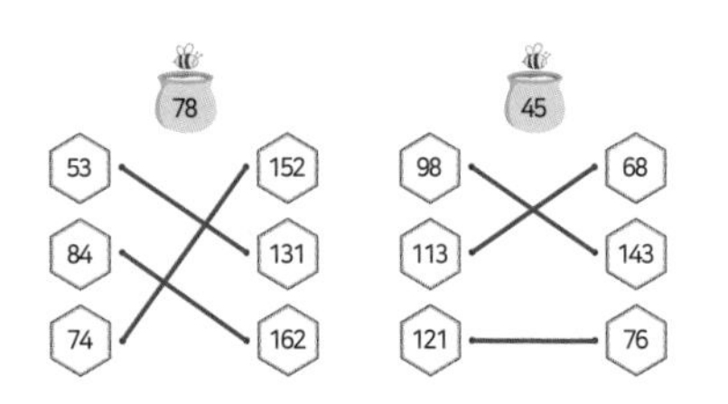

64쪽

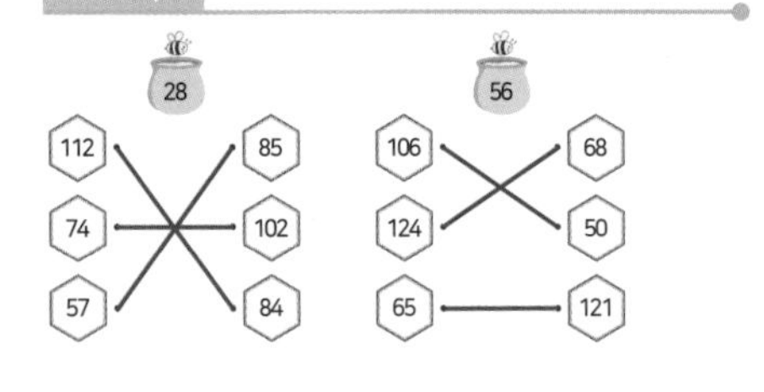

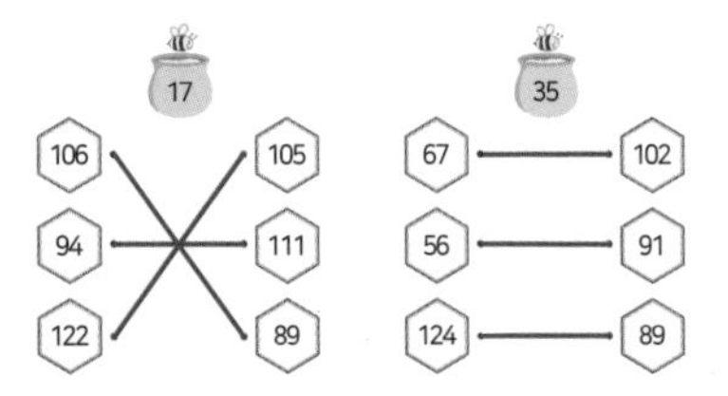

65쪽

① 131-44=87, 87

66쪽

① 125-37=88, 88

② 113-56=57, 57

67쪽

① 140-83=57, 57

② 115-89=26, 26

③ 162-93=69, 69

68쪽

① 164-77=87, 87

② 102-37=65, 65

③ 142-67=75, 75

5주차 - 두 자리 수 덧셈, 뺄셈

70쪽

① 13, 83　② 1, 50, 83

③ 58 + 25 → 70, 13 → 83

④ 58 + 25 → 2 23, 60 → 83

71쪽

① 93　② 3, 96, 93

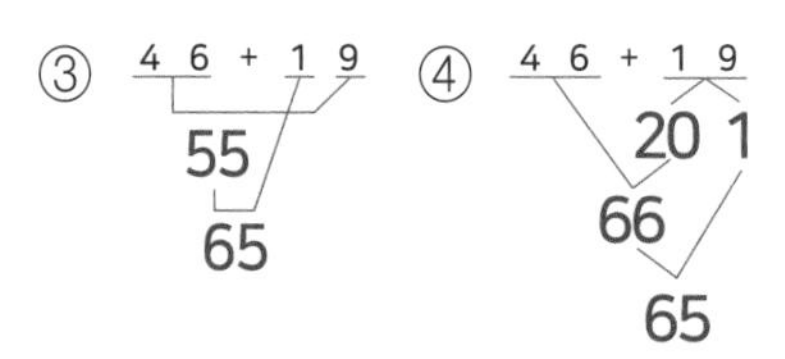

72쪽

① 136　② 106

③ 125　④ 174　⑤ 93

⑥ 130　⑦ 119　⑧ 158

⑨ 112　⑩ 110　⑪ 115

73쪽

① 45　② 4, 41, 45

③ 61 - 28 → 41 → 33

④ 61 - 28 → 1 60 → 32 → 33

74쪽

① 49 ② 46
3
49

③ 5 3 - 1 9
44
34

④ 5 3 - 1 9
33 20
1
34

75쪽

① 55 ② 72

③ 37 ④ 49 ⑤ 37

⑥ 26 ⑦ 57 ⑧ 65

⑨ 77 ⑩ 77 ⑪ 68

76쪽

① 5

② 5 ③ 6

④ 8 ⑤ 6

77쪽

① 3 ② 2

③ 3 ④ 5

⑤ 5 ⑥ 6

⑦ 5 ⑧ 8

78쪽

① 1
2
② 1
3
③ 3
1

④ 7
9
⑤ 5
8
⑥ 2
7

⑦ 4
2
⑧ 7
6
⑨ 1
8

79쪽

① 64 + 29 = 93

② 83 - 37 = 46

③ 87 + 61 = 148

④ 93 - 19 = 74

⑤ 79 + 45 = 124

⑥ 152 - 68 = 84

80쪽

① 62

② 95 ③ 140

④ 151 ⑤ 43

⑥ 121 ⑦ 162

⑧ 83 ⑨ 102

81쪽

① 33

② 28 ③ 73

④ 49 ⑤ 37

⑥ 50 ⑦ 69

⑧ 82 ⑨ 79

82쪽

① 72 ② 76

③ 71 ④ 64

⑤ 63 ⑥ 43

83쪽

① 25 ② 9

③ 18 ④ 26

⑤ 14 ⑥ 16

84쪽

①
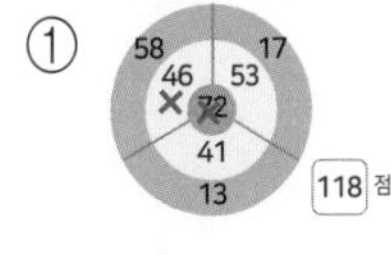

②
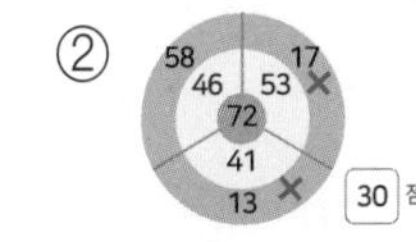

③
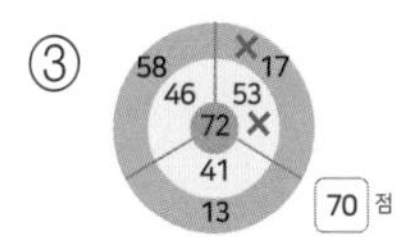

④
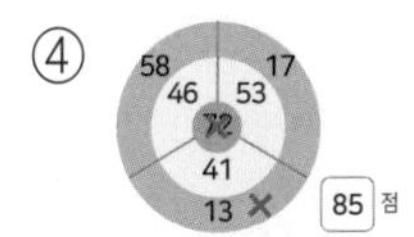

⑤
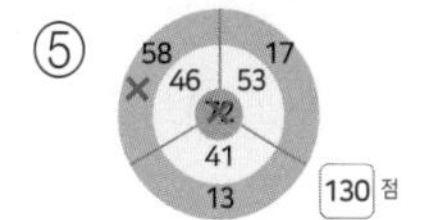

⑥

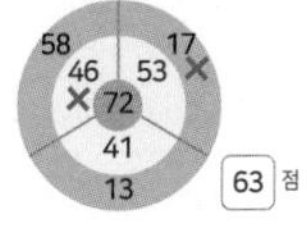

6주차 - 도전! 계산왕

86쪽

① 34 ② 28 ③ 8 ④ 8
⑤ 7 ⑥ 23 ⑦ 25 ⑧ 79
⑨ 52 ⑩ 14 ⑪ 18 ⑫ 60
⑬ 90 ⑭ 45 ⑮ 64 ⑯ 8
⑰ 54 ⑱ 38 ⑲ 54 ⑳ 95

87쪽

① 5 ② 38 ③ 37 ④ 20
⑤ 47 ⑥ 36 ⑦ 9 ⑧ 8
⑨ 83 ⑩ 9 ⑪ 89 ⑫ 29
⑬ 25 ⑭ 39 ⑮ 9 ⑯ 9
⑰ 29 ⑱ 55 ⑲ 46 ⑳ 57

88쪽

① 26 ② 27 ③ 49 ④ 7
⑤ 74 ⑥ 89 ⑦ 9 ⑧ 52
⑨ 37 ⑩ 39 ⑪ 85 ⑫ 69
⑬ 7 ⑭ 7 ⑮ 37 ⑯ 23
⑰ 39 ⑱ 9 ⑲ 77 ⑳ 82

89쪽

① 9 ② 19 ③ 86 ④ 40
⑤ 16 ⑥ 97 ⑦ 96 ⑧ 61
⑨ 95 ⑩ 38 ⑪ 1 ⑫ 49
⑬ 12 ⑭ 18 ⑮ 9 ⑯ 96
⑰ 32 ⑱ 69 ⑲ 80 ⑳ 50

90쪽

① 91 ② 17 ③ 63 ④ 75
⑤ 19 ⑥ 9 ⑦ 56 ⑧ 16
⑨ 49 ⑩ 39 ⑪ 4 ⑫ 19
⑬ 94 ⑭ 5 ⑮ 57 ⑯ 61
⑰ 99 ⑱ 75 ⑲ 78 ⑳ 94

91쪽

① 63 ② 7 ③ 18 ④ 29
⑤ 27 ⑥ 32 ⑦ 65 ⑧ 46
⑨ 70 ⑩ 18 ⑪ 38 ⑫ 92
⑬ 29 ⑭ 54 ⑮ 82 ⑯ 5
⑰ 98 ⑱ 7 ⑲ 47 ⑳ 9

92쪽

① 28 ② 80 ③ 91 ④ 89
⑤ 34 ⑥ 12 ⑦ 69 ⑧ 9
⑨ 4 ⑩ 70 ⑪ 88 ⑫ 16
⑬ 86 ⑭ 56 ⑮ 84 ⑯ 86
⑰ 24 ⑱ 1 ⑲ 71 ⑳ 56

93쪽

① 7 ② 18 ③ 29 ④ 37
⑤ 46 ⑥ 139 ⑦ 7 ⑧ 29
⑨ 65 ⑩ 44 ⑪ 60 ⑫ 38
⑬ 79 ⑭ 82 ⑮ 16 ⑯ 64
⑰ 48 ⑱ 4 ⑲ 56 ⑳ 70

94쪽

① 34 ② 87 ③ 91 ④ 28
⑤ 18 ⑥ 27 ⑦ 73 ⑧ 73
⑨ 53 ⑩ 82 ⑪ 96 ⑫ 38
⑬ 78 ⑭ 5 ⑮ 6 ⑯ 66
⑰ 68 ⑱ 24 ⑲ 62 ⑳ 37

95쪽

① 90 ② 15 ③ 19 ④ 24
⑤ 90 ⑥ 6 ⑦ 41 ⑧ 93
⑨ 39 ⑩ 38 ⑪ 6 ⑫ 55
⑬ 68 ⑭ 29 ⑮ 96 ⑯ 15
⑰ 80 ⑱ 77 ⑲ 77 ⑳ 38

총괄 테스트

이름 점수

01 빈칸에 알맞은 수를 써넣으세요.

83 - 45 → 43, 38

02 빈칸에 알맞은 수를 써넣으세요.

57 - 39 → 48, 18

03 빈칸에 알맞은 수를 써넣으세요.

52 - 37 → 12, 40, 3, 15

67 - 29 → 37, 30, 1, 38

04 빈칸에 알맞은 수를 써넣으세요.

54 - 29 → 30, 1, 24, 25

41 - 18 → 20, 2, 21, 23

05 계산해 보세요.

① 41 - 24 = 17　② 68 - 39 = 29

③ 94 - 65 = 29　④ 51 - 35 = 16

06 세로셈으로 계산하세요.

① 4 10 / 53 - 28 = 25　② 7 10 / 82 - 45 = 37

07 세로셈으로 계산하세요.

① 7 10 / 81 - 33 = 48　② 6 10 / 72 - 37 = 35

08 세로셈으로 계산하세요.

① 128 - 73 = 55　② 107 - 54 = 53

09 세로셈으로 계산하세요.

① 84 - 37 = 47　② 127 - 35 = 92

10 민지네 할아버지는 76살이고 아버지는 할아버지보다 39살이 적습니다. 아버지의 나이는 몇 살일까요?

식: 76 - 39 = 37

답: 37 살

11 세로셈으로 계산하세요.

① 154 - 88 = 66　② 172 - 97 = 75

12 세로셈으로 계산하세요.

① 134 - 67 = 67　② 158 - 69 = 89

13 세로셈으로 계산하세요.

① 123 - 76 = 47　② 104 - 35 = 69

14 잘못 계산한 것을 찾아 바르게 고쳐 보세요.

151 - 88 = 63　126 - 58 = ~~78~~ 68　106 - 59 = 47

15 잘못 계산한 것을 찾아 바르게 고쳐 보세요.

132 - 87 = 45　118 - 69 = 49　142 - 76 = ~~76~~ 66

16 빈칸에 알맞은 수를 써넣으세요.

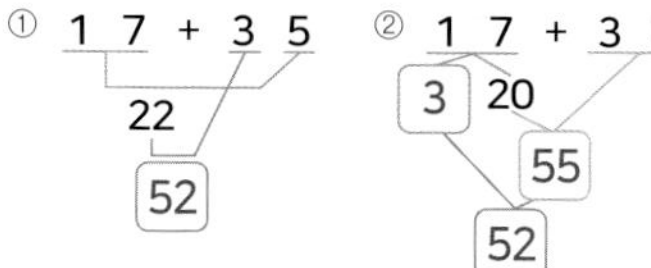

① 17 + 35 → 22, 52　② 17 + 35 → 3, 20, 55, 52

17 빈칸에 알맞은 수를 써넣으세요.

① 67 - 38 → 59, 29　② 67 - 38 → 27, 40, 2, 29

18 빈칸에 알맞은 수를 써넣으세요.

① 39 + 65 = 104 (3)　② 137 - 79 = 58 (7)

19 빈칸에 알맞은 수를 써넣으세요.

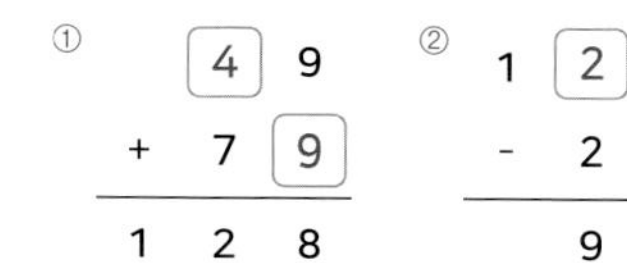

① 49 + 79 = 128 (4, 9)　② 124 - 27 = 97 (2, 7)

20 다트 2개를 던져 얻은 점수를 보고 다트가 꽂힌 자리에 X표 하세요.

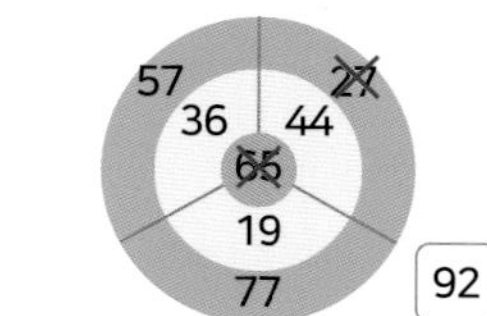

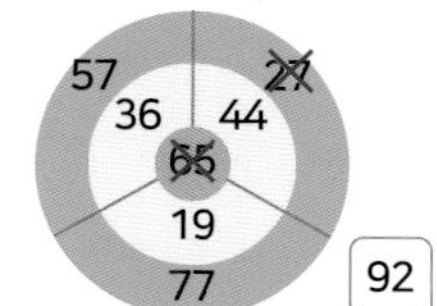

92 점

원리
이해

다양한
계산 방법

충분한
연습

성취도
확인

마술 같은 논리 수학 매직

전 영역에 걸쳐 균형 있는 논리력, 문제해결력 기르기

생각하고 발견하는 수학 로지카

최고 수준 학습을 위한 사고력, 문제해결력 기르기

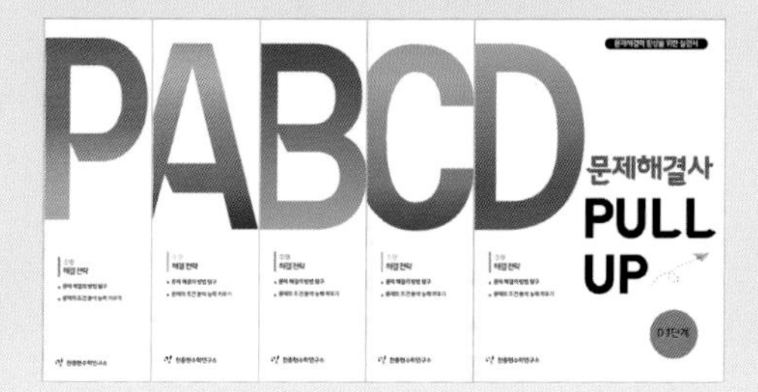

문제해결력 향상을 위한 실전서
문제해결사 PULL UP

학년별 실전 고난도 문제해결을 위한 브릿지 학습

천종현수학연구소의 학원 프로그램, **로지카 아카데미**

"수학으로 세상을 다르게 보는 아이로!"
"생각하고 발견하는 수학, **로지카 아카데미**에서 시작하세요."

20년 차 수학교육전문가 천종현 소장과 함께 생각하는 힘을 기를 수 있는 곳, 로지카 아카데미입니다. 생각하고 발견하는 수학을 통해 아이들은 새로운 세상을 만나게 될 것입니다. 오늘부터 아이의 수학 여정을 로지카 아카데미와 함께하세요.

▶ ▷ ▷ ▷ **로지카 아카데미** www.logicaedu.kr

천종현수학연구소의 교재 흐름도

	4세	5세	6세	7세	초 1
출판 교재					
유자수 · 탑사고력	유아 자신감 수학 3-1 만 3세	유아 자신감 수학 4-1 만 4세	유아 자신감 수학 5-1 만 5세	TOP 사고력 수학 K6 K단계	TOP 사고력 수학 P6 P단계
원리셈		키즈 원리셈 5·6세 1권 5, 6세	키즈 원리셈 6·7세 1권 6, 7세	키즈 원리셈 7·8세 1권 7, 8세	원리셈 1학년 1 초등 1
교과셈					교과셈 수학의 시작! 초등 1·1 초등 1
따풀				따라 하면 풀리는 초등 수학 7세 상 7세	따라 하면 풀리는 초등 수학 초등 1·1 상 초등 1
학원 교재					
매직 · 로지카			Math Logic K1 K단계	Math Logic P1 P단계	Math Logic A1 A단계
풀업				P 문제해결사 PULL UP P단계	A 문제해결사 PULL UP A단계